今ここを生きる勇気

老・病・死と向き合うための哲学講義

岸見一郎 Kishimi Ichiro

NHK出版新書
624

はじめに

本書はNHK文化センター京都教室で行った哲学講座をまとめたものです。講義は、二〇一九年十月から二〇二〇年三月まで、毎月一回の全六回を予定していましたが、最後の第6回は新型コロナウイルス感染防止のために二度にわたる延期の後、最終的には中止することを余儀なくされました。そのため、本書の第6講は実際には行われなかった〝幻の講義〟になります。

しかし、私の頭の中には大筋の話の流れがありましたから、本書にはそれを反映したいと考えました。そこで講義の部分を書き起こし、つづいてそれまでの受講生とのやりとりを思い浮かべながら、質疑応答についても作成しました。第5回までと変わらない雰囲気を感じ取っていただければ幸いです。

大学などで学生に講義するのとは違って、様々なバックグラウンドのある人に話すのは難しいと感じてきました。どんなことに関心があるかは人によって違うので、どんな例を引きながら話すか迷うからです。

それでは、いっそ何の例も引かずに話そうかと思うと、たちまち話が抽象的になってしまいます。とりわけ、哲学の話をする時に抽象的になってはいけません。哲学はあらゆる条件を加味して考えるという意味で具体的な学問なので、生活から乖離《かいり》した話であってはいけないのです。

とはいえ、哲学は普遍的な学なので、あまりに現代的な話は避けようと考えたのですが、どうすれば今の時代を生き抜くことができるかを考えるために、第6講では世界が目下直面しているコロナウイルスについても言及しました。ただし、今の時代に起こっている特定の感染症についてというよりは、病気が蔓延《まんえん》して生活が脅かされ、病気や死の問題が切実に感じられる時に、どう生きるべきかという問題を考える手がかりにしたいと考えたのです。他の事例も同じように考えて取り上げました。

古代ギリシアのプラトンの著作が今も多くの人に読まれ、少しも古いと感じられないのは、プラトンが生きた時代の問題が今も存続し、プラトンの時代から、人間は少しも進歩していないからともいえます。

この人生をいかに生きるべきかというような問いには、答えは簡単に出ません。むしろ、答えはないといってよいともいえます。それでも、どのように考えていけばいいのか、考えの道筋を明らかにすれば、直面する難題を従前とは違った仕方で見られるようになりますし、苦境にある時には冷静に考えられるようになります。

哲学の成績表で、ある学生に「優」をつけたところ、担任の先生に「この学生は他の教科の成績はよくないのに、なぜ哲学だけがよい成績を取れたのか」とたずねられたことがありました。私は、「哲学は覚える必要はない。大切なことは、人生に向き合う姿勢であり、その学生は常に真摯《しんし》に自分が疑問に思ったことを人に頼らず自分で考えているからだ」と答えました。

先に、様々なバックグラウンドのある人に話すのは難しいと感じてきたと書きましたが、今回の文化センター講座で受講された方には共通点がありました。私が高評価した学生と同様、多くの人が自明だと思って考えようともしないことを、真剣に考えているということです。それは、本書にも収めてある質疑応答からわかるかと思います。

本書が届くべき人に届くならば、著者として望外の喜びです。

今ここを生きる勇気——老・病・死と向き合うための哲学講義　目次

第1講 哲学は何ができるのか

では、早速講義を始めましょう。若い時にも哲学の講義をしていましたが、その時の受講生は多くなかったので、今日のようにたくさんの方がこられるとは予想していませんでした。本当にありがとうございます。

哲学は難しいか

さて、哲学が難しいか難しくないかといえば、難しいです。なぜかといえば、哲学は私たちが普段あまり考えないことについて考えるからです。

私はいつもソクラテスを哲学者のモデルとして見ています。彼は国家の認める神を認めず、青年に害悪を与えるという理由で裁判にかけられました。七十歳の時でした。生まれて初めて裁判所に出頭したソクラテスは、その弁明演説の最初で、言葉づかいは大目に見て、自分が語ることが正しいかそうでないかということだけに注目してほしいと語っています。

私も言葉の難しさでつまずくことがないように、この講義では極力、専門用語を使わないようにしようと思います。ただし、言葉がやさしくても話の内容は簡単ではないかもしれません。

『人生論ノート』を書いた三木清は、人と話している時、不意に瞑想に襲われることがあると書いています。ソクラテスも戦場で瞑想に入ることがあったと伝えられています。一昼夜立ち尽くしたまま瞑想に耽《ふけ》ったというのです。私は途中で話をやめることはないと思いますが、考えながら話すので、もしかしたら途中で行き詰まるかもしれません。その時はどうかご勘弁ください。

哲学は誰でも学べる

哲学は大学でしか学べないのかという質問を受けることがあります。もちろん、大学という場でしか学べないわけではありません。ソクラテスは街の広場で青年と対話をしていたのであり、プラトンやアリストテレスらと違って学生に講義をしていたわけではありません。

大学で哲学を学ぼうとしたら、今は違うのかもしれませんが、京都大学であれば外国語は必修です。私はギリシア哲学を専攻しましたから、近代語だけでなく、ギリシア語、ラテン語も学びました。現代哲学を学ぶ場合でも、大学院に入るためには、ギリシア語かラテン語の試験を受けなければなりません。

しかし、外国語を学ばないと哲学が学べないかというと、そういうわけではありません。私は一九八四年にアップル社のマッキントッシュというパソコンを買いました。当時、百万円くらいしました。それを買うべきか買わざるべきか悩んだのですが、大学院の奨学金を充《あ》てることにしました。奨学金の返済には三十年かかりました。スティーブ・ジョブズはもう亡くなりましたが、私は彼とほとんど歳が変わりません。若い頃、私は彼の夢を追いかけたいと思ったのです。その時の広告のコピーはこうでした。

The Computer for the rest of us（残りの私のためのコンピュータ）

一部の専門家のためのコンピュータではなくて、専門家以外の「一般の人のためのコンピュータ」という意味です。

私は、哲学もそうあるべきだと思います。専門家だけが独占するような学問であってはいけない。誰もが学べるというのが、本来の哲学のあり方です。

とはいえ、哲学を学ぼうと思うと身構えてしまいます。私自身そういう経験がありました。高校生の授業に倫理社会という教科がありました。私はこの授業で生まれて初めて哲学という学問に触れました。先生がある日プラトンの「哲人政治論」の話をしました。今の政治家が哲学を学ぶか、あるいは哲学者が政治家にならない限り、人類の不幸は止まないという話です。私は思わず身構えました。

すると、先生は私を見て「いやいや大丈夫。身構えなくていい」と。「先生が説明したらたちどころにわかる」といわれました。

実際、先生の授業はいつも非常に明快でした。ドイツの哲学者カントの講義を評して、ヘルダーリンという詩人がこんなことをいっています。「講義が、そのまま人を楽しませる会話である」。これは、まさにその先生の講義に当てはまる言葉です。

私は後に大学で教鞭《きょうべん》を執《と》るようになりましたが、そんな講義をしたいと思いました。今日からの講義がそんなふうになるかわかりませんが、可能な限りそうなるようにしていきたいと思います。

哲学は役に立つのか

私はずいぶん回り道していたので、大学院に入ったのは二十五歳の時でした。ところが、その年、母が突然脳梗塞《のうこうそく》で倒れました。母が病気で倒れた時に父は仕事をしていましたし、妹は結婚して家にいなかったので、学生だった私が母の看病をすることになりました。

当時、私はある大学の先生の自宅で行われていたプラトンの読書会に毎週参加していました。看病のためにしばらく読書会に行けないことを報告しようと思って、先生に電話をしたところ、先生はこんなことをいわれました。

「こんな時にこそ役に立つのが哲学だ」

私はひどく驚きました。「役に立つ」という言葉が哲学についていわれるとは思ってもいなかったからです。

なぜ先生は、哲学はこういう時にこそ役に立つといわれたのか。母はやがて意識を失って病院のベッドで身動きが取れなくなりました。その時に、もしも私が哲学を学んでいなかったら、ただただ絶望するだけだったかもしれないのに、哲学を学んでいたおかげで、冷静に現実に向き合うことができたのです。

こんなふうに身体が動かせなくなって、さらには意識もなくなった時に、はたして生きる価値があるのかどうか。人生の意味は何か。そのようなことを、母の病床で一生懸命考えました。

本もたくさん読みました。その時に、マルクス・アウレリウスの『自省録《じせいろく》』も読みました。私はマルクス・アウレリウスのようにその日の思いをノートに書き留めることで精神のバランスを保っていたように思います。そういう意味でも、先生がこんな時に役に立つのが哲学だといったのは、本当にそうだと思いました。

学ぶのであればこのような哲学でなければ意味がない。哲学を学ぶ以上、学ぶ前と学ぶ後では人生が変わらなければならない。そうでなければ、哲学を学ぶ意味はありません。

哲学とは何か

哲学の話を始めましたが、肝心の「哲学とは何か」をまだ説明していません。

哲学は、ギリシア語ではphilosophia（ピロソピア）といいます。近代語では翻訳されないで、そのまま使われています。例えば、英語だとphilosophy（フィロソフィー）といいます。

どういう意味かといえば「知を愛する」です。でも、日本では「哲学」と訳されてしまったので、もとの意味がわかりません。原語の「愛する」という意味を反映するために、古くは「希賢学《きけんがく》」とか「希哲学《きてつがく》」と訳されました。「希」は「こいねがう」という意味です。

こういう訳語になった経緯であるとか、もともとのphilosophiaという言葉が、ギリシアの文献のどこに出ているかというようなことは、今回の講義では話しません。

でも、今、「愛知」、「知を愛する」という言葉を使ったように、哲学という言葉に定義を与えるならば、私たちが既成の価値観、あるいは常識を疑っていく精神ということができます。普段、考えないこと、例えば、これは第2回の講義で話すことになりますが、成功すると幸福になれるだろうかというようなことを考えるのです。

親も子どもも、とにかく大学受験を目指して一生懸命勉強する。そして、大学卒業後、一流と呼ばれている企業に就職すれば成功するというようなことを疑わない人がいます。

私は長年カウンセリングもしていました。多くの人が当然歩むべきだと思っている人生コースから外れてしまった人だけが、カウンセリングにこられているといっても過言ではありません。そういう人たちと、本当に成功することが幸福なのかどうかを、一緒に考えます。それまで考えてもいなかったことについて考えることが哲学だと、差し当たって理解してください。

そういう既成の価値観とか常識だけではなくて、今の世の中には本当に考えなければいけないことが次から次へと起こります。政治家が話していることが本当なのか、常に疑ってみなければなりません。

ソクラテスという人は、自らそれをやったのです。ある時、「ソクラテスほど知恵のある人はいない」という神託を受けました。ソクラテスが自分でしたのではありません。彼の取り巻きの、何をやり始めても熱しやすい人がいて、その人がデルポイの神殿に行き、アポロンに「ソクラテスよりも知恵のある者がいるか」とたずねたのです。

ソクラテスは驚きました。「大にも小にも知者でないことを自覚しているから」です。そこでソクラテスは、神に反駁《はんばく》するために、知者といわれている人のところを巡って問答をしました。すると、賢いと呼ばれている人、知があるといわれている人が、実はそうではなかったということがわかりました。

そこでソクラテスは、神託の意味は、他の人は自分が知らないことを知らない、でも自分は何も知らないことを知っているという、そのわずかなことだけで自分のほうが賢いということだと理解しました。皆の前で、実は何も知らないということを明らかにされたら、いわれた本人は嬉しくないですね。だから、ソクラテスは恨まれたのです。

やがて、ソクラテスがしていることを若い人たちが真似るようになりました。「いったい誰なんだ、若者にこんなことを焚《た》き付けたのは」と探してみたら、ソクラテスだった。それで、彼は告発され死刑になったのです。

今日は、哲学というのは難しいけれども身構えなくてもよいという話から始めたのですが、哲学の話は聞いて心地のいいものではありません。でも、学べば人生が変わらないわけにいかないほど大きな影響を与えます。これから話すことも決して耳触りはよくないでしょう。あまり快適な、心地よい感じにはならないかもしれません。

哲学を学ぼうとしたきっかけ

私が哲学を学ぼうとしたきっかけの話をします。小学校の三年生くらいの時、私の祖父、弟、祖母が立て続けに亡くなりました。この時、人生に初めて「死」というものがあることに気づいたのです。

それは、私にとって非常に衝撃的なことでした。今こうやって何かを考え、何かを感じているのに、死んでしまうと何もかも無になるかもしれない。それを思うと怖くなりました。でも、まわりの大人たちは死があることにまったく気づかないかのように生きている。私には、それが許せませんでした。

それからかなり長い時間、食事が喉《のど》を通らず、精神的に落ち込んでいたと思います。死が何かを知りたい。これが、私が哲学を学ぼうと思ったきっかけでした。

もちろん、小学生の私は哲学という学問があることを知りませんでした。最初は医師になろうと思いました。医学を学べば死について学べるだろうと思いました。

でも、私が怖いと思ったのは身体がなくなることではなく、私という人格がなくなることでした。そう思い当たった時に、身体を扱う医学では、私の求めている疑問を解決できないだろうと考えました。当時、もしも精神医学のことを知っていたら、私の人生は違ったものになったかもしれません。

高校生になってようやく、先ほど話の中で少し触れた倫理社会の先生に出会ったのです。先生の影響で哲学に興味を持った私が、大学、あるいは大学院で哲学を学ぶといったら、思いがけず父が反対しました。

父は哲学について何も知らなかったと思いますが、父の年代であれば、藤村操《みさお》という十六歳の旧制第一高等学校の生徒が「生は不可解である」という意味の言葉を残して華厳《けごん》の滝に飛び降りて自殺したことを知っていたのではないかと思います。だから、父は、私が死ぬのではないかと恐れたのでしょう。

また、父が反対したのは、哲学を学んでも、経済的には非常に不自由することを知っていたからかもしれません。

私の尊敬する倫理社会の先生ですら、私が哲学を学ぶことに反対しました。その理由が、将来、経済的に困るだろうということでした。

でも、私の意志が固いことを知った先生は、今度は一転して応援してくださって、それからは何回か土曜日の放課後にその先生から個人授業を受け、マルクスの『経済学批判』の序文を一緒に読みました。当然、翻訳で読んだのですが、テキストにはドイツ語の原文も書いてあったのでドイツ語も一緒に読んでほしいといいました。すると先生は、高校生なのになぜドイツ語ができるのかなどとはいわず、ドイツ語のテキストも一緒に読んでもらえることになりました。私は中学生の頃からドイツ語の勉強をしていたのです。

哲学がお金にならないというのは間違いありません。タレスという古代ギリシアの哲学者はある時、翌年の夏にオリーブが豊作であることを予測し、オリーブの絞り機を買い占めました。夏になって、人々はオリーブの絞り機がないことに気づきました。タレスはオリーブの絞り機を高価で売って、たちまちに大金持ちになりました。でも、早合点しないでください。このエピソードは、タレスがお金を儲けることは決して人生の一大事ではないと考えていたということ、哲学者はお金を稼げないのではなく稼ごうとしないという決心をしているだけだということを伝えようとしているのです。お金を儲けるにしても何のためにそうするのか。これは第2回の講義で考えます。

そんなふうに金銭的、経済的に成功することが幸福であるかどうかも、自明ではないのですが、私は哲学を学ぶことになりました。

哲学は具体的に考える

では次に、その哲学とはどういうものかという話をしましょう。哲学は、実は具体的な学問です。こういうと驚く人は多いのですが、例えば、数学、あるいは算数は抽象的な学問です。雀《すずめ》が電線に五羽止まっている。そのうちの一羽の雀を鉄砲で撃ち落としたら、はたして後に何羽の雀が残るか。

算数とか数学だと答えは四羽です。でも、本当は四羽ではないですね。鉄砲の音に驚いて、後には雀は一羽も残らないからです。だからゼロ、これが正解。雀が鉄砲の音に驚いて飛び去ってしまうという条件も加味して考えていくのが哲学です。具体的に考えるというのはこういう意味です。

このように考えれば、数学や算数が抽象的な学問であるというのはよくわかるのですが、では、政治学、あるいは経済学はどうでしょう。こういう学問も抽象的な学問であることを知っていないといけません。

経済学も政治学も抽象的な学問なので、現実のあらゆる条件を加味しているわけではないのです。ですから、何かの政策や実際問題の処理、今起こっていることがどういうことなのかを考える時に、経済学も政治学もあまり役に立たないということがあります。生活者としての実感がなければ、例えば消費税が引き上げられたことを数字だけで分析してもあまり役には立たないのです。

反対にいうと、哲学はそういうことも知った上で、つまりあらゆる条件、状況を加味して、生活者としていわば地に足をつけて物事を考えるということです。

災害や事故があった時に、犠牲者を数字としてしか考えない人がいます。想定していたよりも死者の数が少なかったのでまずまずだったというような政治家が出てくる。しかし、家族を亡くした人にとって、その死はその後の家族のあり方を変えます。一人しか亡くならなかったから大きな災害や事故ではなかったとはいえないはずです。

とはいえ、もちろん、学問は多かれ少なかれ抽象的にならざるをえません。あらゆることを個別的に考えようとすると学問になりません。

学問だけではありません。ある人には当てはまっても、自分には当てはまらないことがあります。例えば、親が子どもを叱ってはいけないとか、ほめてはいけないということは経験則でしか学ばなければ応用が利《き》きません。子どもは皆違うからです。さらに、子どもは成長していくので、同じ子どもも同じままでいるわけではありません。子どもによって、また、成長につれて親は違う対応をしなければいけないので、経験則からしか学んでいないと、どう対応していいかわからなくなります。だから、個別に、具体的にも見ていかないといけないのですが、それでも、同時に一般的な原則もきちんと理解しなければなりません。

哲学が具体的な学問であるということについて、続いてもう一ついうと、想像力が足りないので、具体的に考えられないことがあります。

例えば、戦争の時は、敵が目の前に現れたら相手を銃で撃たなければ、たちまち殺される。だから、身を守ろうと思ったら、銃の引き金を引かないわけにはいきません。でも、実際に第二次世界大戦の時にどうなったかというと、三割くらいの兵士が銃の引き金を引くことをためらいました。自分も殺されるかもしれないけれど、発砲して自分が殺すことになる相手にも家族がいるだろうと想像して、引き金を引けなかったからです。

そこで、後の戦争ではゲームを導入するなどして、敵が目の前に現れたら瞬時に銃の引き金を引いたり、ミサイルの発射ボタンを押せる訓練をしました。この訓練は功を奏し、想像力を働かせなくなったのです。

また、想像力が及ばないものとして、生命があります。辺野古《へのこ》の海を埋め立てても、何とも思わない人がいます。ジュゴンが絶滅の危機に瀕《ひん》していても何とも思わない人がいます。沖縄の海を見た時に、そこに生命を感じられるかどうか。これは想像力です。感じられない人が多いのです。海を埋め立てたら、美しい珊瑚礁《さんごしょう》はどうなるか。そんなことをまったく考えない人は平気で埋め立てをするのです。

排除される価値

古代ギリシアの哲学者たちにとって、自然は物質ではなく、魂でした。自然を生命のない物質だというふうには考えないのです。そのような感覚は当たり前だと私は思うのですが、今や失われつつあるように思います。

井戸水というのは、年中同じ温度です。一年を通じて、十八度くらいです。でも、冬は温かく感じられる。反対に、夏は冷たく感じられるでしょう。

でも、今の自然科学ではそういう感覚は本当ではないとされる。一年を通じて十八度というのが事実で、冷たく感じられるとか温かく感じられるというのは、人間が主観で作り出していると考えるのです。

自然学は、世界の究極の基礎として「もの」を考えます。このような考え方はギリシアにもありました。デモクリトスという哲学者がいました。彼は甘いとか辛《から》いとか熱いとか冷たいとか、こういったものは本当のものではないといっています。それは自分が作り出しているのだと。あるいは、ノモス、約束事だといっています。

何かを食べた時に辛く感じるかそうでないかというのは、本人の主観的な感覚でしかない。このような世界観においては、感覚だけでなく、生命、心、目的、あるいは価値といったものも主観的に作り出されたものでしかない。しかし、世界の究極のあり方の中に、生命も心も目的も価値もあると考えた人たちもギリシア以来います。

価値などがこの世界から排除されてしまうとどんな問題が起こるか、考えてみなければなりません。

まず、現実的な問題でいうと、価値中立的であろうとする人が出てきます。政治家が問題発言をした時などに新聞記事には、「批判が起きそうだ」と書いてある。なぜ新聞社が批判して、問題を追及しないのか。また、野党はこういっているとしか書かない。政府を批判することこそマスコミの使命だと私は思うのですが、価値中立的であれば発言に責任を取らなくてもいいと考えて、このような書き方をするのです。しかし、ジャーナリストこそ価値判断をして、おかしいといわなければいけない。

反対に、価値を押しつけようとする人がいます。国家が人の心に侵入しようとします。ソクラテスは誰よりも愛国者でした。でも彼は、国家と政権をはっきり区別しました。本当に国を愛していたら、時の政府がやっていることがおかしければ、批判するべきです。

今は、自己保身に走って政治家の不正を庇《かば》い、虚偽の発言を強《し》いられたらいいなりになる官僚がいる。「これはおかしいではないか」といえる人こそが、本来の愛国者です。

為政者のほうも、今自分たちがしていることが国民から反発されることがわかっているので、愛国心を強制しようとします。それが、国家が人の心に侵入しようとするということの意味です。

道徳を押しつけようとする人もいます。ある物事が正しいか正しくないかは自分が判断するものです。それなのに上から押しつけようとする。道徳が教科にされ、成績までつけられる。ありえないでしょう。

哲学は、既成の価値観を徹底的に疑います。本当にそれが正しいかどうかを立ち止まって考えられるようになるために、必要な学問です。

内閣府のホームページで「共生社会」という言葉が、cohesive societyと訳されていることを指摘している人がいました。そこで、見てみたら、たしかにそうなっていました。普通なら、多様性、多様な人たちを含めるという意味でinclusive（包括的な）という言葉を使うと思うのですが、cohesive societyだと「まとまりのある社会」「結束した社会」という意味になります。

つまり、皆が一致団結してまとまりのある社会を今の政府は理想にしているように見えます。多様であれば一致しないことになりますね。もちろんすべての人の考え方が正しいわけではありません。しかし、いろいろな考えの人が共生し、皆がそれぞれ自由に表現ができるというのが、本来のあるべき社会だと私は考えています。

一致団結すること自体が悪いわけではありません。災害の時には皆が協力し助け合わなければなりません。しかし、あまりに一致団結が強調されると、皆が同じ考えを持つことが求められます。オリンピックのような大きなイベントに賛同しない人が、非難されるようなことが起こります。

それには、災害も利用されます。東日本大震災の後には「絆《きずな》」という言葉が盛んに使われました。人と人が結びついているという感覚自体は大事です。災害時でも「自分の生命を守る行動をしてください」と頻《しき》りに放送されるように、自分の身を守ることが自己責任とされる社会では、公助を当てにできないので、止むを得ず自助か共助で互いの身を守っていかなければなりません。自分を助けてくれる人がいて、自分もまた他者を助けようと思うことは大切なことですが、上から押しつけられたくはありません。

このように価値が一方で排除されているのに、それが上から押しつけられていることが今の時代の問題です。哲学の役割というのは、上から押しつけられたものであれ、価値というものを考えるのであれば、それが本当に正しいのかを絶えず検証していくという精神だと理解してください。

人間の行為は価値なしには考えられない

そもそも人間の行為は、価値なしには考えることはできません。チョークを手から離したら、必ず落下します。チョークには意志がないので、ただ落ちていき、真っ二つに割れます。

でも、人間の行為はそうではありません。人間は行為に先立って、「目的」あるいは「目標」を立てます。それは、何かをしようとする時に、その行為が「善」なのか「悪」

なのかということです。

この善と悪が「価値」です。「善」と「悪」という言葉には、ギリシア語には道徳的な意味はありません。善のほうは「ためになる」、悪は逆に「ためにならない」という意味です。だから、これから自分がしようとしていることが、自分のためになるのか、ためにならないのかという判断をします。ためにならないことはしません。ためになることしかしません。

問題は、何が自分にとって善なのか、つまり、「ためになるのか」という判断を誤ることがあるということです。例えば「成功することが自分にとってためになる」と考える人は、受験勉強に一生懸命打ち込みます。「学校に行くことが自分にとって善である」と信じて疑わない人は、何も考えないで朝になったら学校に行きます。

しかし、身体だけが学校に物理的に運ばれているような子どもたちとは違って、皆が自明だと思っていることを疑う子どももいます。学校に行って勉強することに何か意味があるのか、価値があるのだろうかと考えるのです。

もしも子どもが学校に行かない時は、大人はなぜ学校に行かないのかを子どもにきちんと聞かないといけない。子どもがこの大人は話を遮《さえぎ》らず最後まで聞いてくれると確信すれば、話してくれるでしょう。でも、大人はたいてい子どもの話を最後まで聞きません。理解することと賛成することは別のことなので、子どもの考えを聞いた上で賛成しないことはありえますが、賛成か反対か以前に、まず理解しようと努めなければなりません。大人は子どもが自分で考えることを好みません。しかし、世間的な、あるいは伝統的な既成の価値観、常識の立場から抑えてしまうのは間違いだと思います。

もちろん、親が子どもに自分の意見をいってはいけないわけはありません。ただし、それはあくまでも自分の考えであり、それが絶対正しいかのように押しつけてはいけません。親の考えを伝えれば、受け入れてくれるかもしれませんが、退けられても怒ってはいけません。

話を戻すと、行為の目的とか目標は、必ずしも意識されていないことが多いです。しかし、それがわかれば、その目標を達成するためのより有効な手段について話し合うことができます。

ある高校生が廊下で先生とすれ違った時に、挨拶《あいさつ》をしませんでした。すると、先生はその生徒を呼び止めて「教師に挨拶ができないお前は、明日から学校にこなくていい」といいました。

生徒は翌日から学校に行かなくなりました。その生徒と話をしたカウンセラーは、「明日から学校にこなくていい」といった先生に復讐《ふくしゅう》したいと思って、それで学校に行かなくなったのではないかとたずねました。「そうです。いわれてみて初めてわかりました。私が学校に行かなくなったら先生はきっと心配してくれるだろうと思ったのです」と生徒はいいました。

最初は心配してくれる、さらに長く休むと自分のことを思って嫌な気持ちになるだろう。これが先生に「復讐」をしようと思ったという意味です。カウンセラーはこう話しました。

「あなたにとって先生は一人だけど、先生にとっては、あなたはたくさんいる生徒の一人でしかない。あなたが休んでも、先生はあなたのことを、あなたが先生のことを思っているほどには心配もしないし、嫌な気持ちにはならない」

人は共同体に所属しているけれども、その中心に生きているわけではない。自分を中心に世界がめぐっているわけではないのです。

「復讐するのだったら、あなた自身が不利な目に遭《あ》う必要はまったくない。学校に行かなければあなたが不利になる。あなたが不利にならずに先生に復讐する方法がある」

「どんな方法ですか?」

「深夜、先生の家に無言電話をかける」

もちろんこれは冗談ですが、こう提案して、笑いが出たら大丈夫です。そもそも、先生に挨拶しなかったからといって、学校にくるなと先生がいう権利はありません。

「先生のやり方がおかしいと思うのだったら、学校に行って先生に訴えなさい。親が授業料を払っているのであり、私は授業を受ける権利がある、と。先生で埒《らち》が明かないんだったら、校長に訴えたらいい」

生徒は次の日から登校しました。

休むことの目的は復讐することですが、その復讐という目的もその上位の目的に包摂《ほうせつ》されます。その意味は次回考えます。

行為の目的や目標、総じていうと価値のことを考えなかったら話になりません。人間には自由意志があります。ある行為をすることもしないこともできます。

自由意志を認めなければ、教育も子育ても治療もありえません。人は変わりうるという前提があるから、教育も治療もできるのです。

何かの行動をするかしないかを決める時、人は必ず価値判断しています。学生が目の前で深いトランス状態に入ってしまったら、私は正直嫌なので、学生の頭をコツンとしてやろうと判断するかもしれませんが、寛容に淡々と講義できる教師であれば何もしないという判断をするかもしれません。人は誰でも、どう対処することが善なのか、絶えず価値判断しているのです。ボールが飛んできたら身をかわそう、赤信号を見たらブレーキをかける。そういう緊急の判断をすることもあります。

価値相対主義とニヒリズムの問題

このような価値というものをまったく認めない、少なくとも価値に第一義的な意味を認めないような時代、あるいは、社会になってしまったら、どんな問題が起こるかというのが今日の最後の問題です。

例えば、食べ物について美味しいとか美味しくないとか、辛いとか辛くないとかということについては、各人の主観が認められてもいいでしょうが、有害かどうかは主観で決められません。ある行いが善か悪か、自分のためになるかどうかも主観で決めることはできません。しかし、絶対的な価値はない、価値は相対的だと考えてしまうと、ニヒリズム（虚無主義）になってしまう。価値相対主義です。そうなってしまうと、どんな問題が起こるか。三木清はこういっています。

「もし独裁を望まないならば、虚無主義を克服して内から立直らなければならない。しかるに今日我が国の多くのインテリゲンチャは独裁を極端に嫌いながら自分自身はどうしてもニヒリズムから脱出することができないでいる」(『人生論ノート』)

これでは独裁者の思う壺になってしまいます。すでにそこに強固な価値観があれば新たな価値観を植えつけることは難しいですが、ないところに植えつけることは簡単だからです。かくて、価値相対主義は独裁の温床となるのです。

このようなことは、三木が生きていた戦前、戦中だけではなくて、今も起きています。多くの人が考えるのをやめてしまうと、為政者の都合のいい価値観を植えつけることは容易です。

だから、高学歴の若者が、宗教信者になって洗脳され、殺人を犯すというようなことがあるわけです。子どもの頃から勉強ばかりしてきて社会で起こっていることに無関心であれば、このようなことが起こります。自分のことしか考えないエリートは有害以外の何ものでもありません。

今日の講義のタイトルは「哲学は何ができるのか」でした。私たちはいろいろなことについて徹底的に考え続けなければいけない、でも、実は「何も知らないのだ」というところで終わることになりそうです。

知っていると思っている人はわかっていません。何も知りません。でも、何も知らないことを知るというソクラテスの原点に戻らなければなりません。哲学を学んで、何か答えが出るかと思ったら答えは出ません。自動販売機にコインを入れたらガチャリと飲み物が出てくるというような簡単な仕方で、求めているものを得ることはできないのです。

それでも、考える道筋は見えてきます。「どういうふうに考えたらいいのか」という考える道筋は、ギリシア語でいうと「ロゴス」です。「理性」、あるいは「言葉」という意味ですが、それをこの講座で学んでいくことはきっとできるだろうというところで、第1回の講義を終わります。ありがとうございました。

［質疑応答］

――先生は、アドラー心理学を研究されていますが、フロイトやユングではなくて、なぜアドラーなのですか。

岸見　アドラー心理学が「原因論」ではなく「目的論」だからです。カウンセリングでは、私は過去の話はあまり聞きません。過去に経験したことが今の問題の原因であれば、タイムマシンがない限り問題は解決しない。でも、これまでどんなにつらい人生を送ってきた人でもこれからの人生は変えられます。

原因ではなく目的を見ることは、問題解決の糸口になります。これが、他の心理学ではなくアドラーの心理学に興味を持つようになった大きな理由です。

今日は話せなかったのですが、アドラーの創始した心理学を「個人心理学」といいます。この「個人」にはいくつか意味がありますが、一般的な人ではなくて「この人」という意味です。同じ人は二人としていません。個人心理学は他ならぬこの「私」、「個人」を扱う心理学という意味です。一般的な他の心理学は面白くても、私には当てはまらないと思いました。これがアドラーを学んでいる二つ目の理由です。

三つ目の理由は、アドラーの思想は哲学なので、きちんとした理論的基礎づけがあるということです。

さらに、アドラーが使っている言葉がやさしいからです。アドラーは専門用語をほとんど使いません。この点でソクラテスと同じです。ただし、言葉がやさしいからといって、問題とされている事柄までやさしいわけではありませんが、専門用語をあまり使わないので誰もが学べるという意味で、アドラー心理学は、psychology for the rest of us（残りの私のための心理学）なのです。

——自分の考えが絶対正しいと断定してはいけないと理解しましたが、絶対の善悪というのはないのですか。

岸見　アドラーは、「我々は絶対的な価値に恵まれていない」といっています。絶対的な価値に恵まれていない、「持っていない」というのは、それが「ない」という意味ではありません。

だから、善悪について絶えず検証を続ける。これが哲学の精神です。その結果、絶対の善に到達できるかどうかはわからない。わからないけれど、到達したと思ってしまうほうが危ないのです。

それがソクラテスのいう「無知の自覚」です。無知は絶対の知を前提としている。何も知らないことがわかるためには、本当に知っていないといけないのです。

——今、既成の概念とか常識を疑うというか、考えるということと幸福になることは、先生の考えの中でどう位置づけられていますか。

岸見 いろいろなことを疑い始めると、見なくてもすんだかもしれない現実が見えてきますから、生きることが苦しくなります。何も考えないで現実を知らずに生きるほうが幸福に思えるかもしれない。

でも、空を飛ぶ鳥が飛翔するためには風という空気抵抗がないといけないように（鳥は真空の中では空を飛べませんね）、苦しみも私たちが生きていくためには必要なのです。そう思えた時に、生きることは苦しいけれども生きていることには価値があり、そのことが私たちの幸福につながると考えられるようになります。

——哲学は対話から始まるのですね。

岸見 対話のことをギリシア語では、「ディアロゴス」といいます。「言葉（ロゴス）を交わす（ディア）」という意味です。たとえ結論に到達しなくても、Aという考え方に反対する、あるいは、相容れない考え方Bをぶつけて、その結果、AでもBでもないCという考え方に到達する。これが対話です。

たとえ、Cに至ることがなくても自分とは違う考えを知れば、対話の前とは同じではなくなっているはずです。

——講義の中で何度も「生命」という言葉が出てきましたが、今の先生が考えている生命というのはどんな形ですか。

岸見　私は十三年前に心筋梗塞《しんきんこうそく》で倒れました。その時ほど、自分の生命について考えたことはありません。

入院中、夜眠れないので、医師に睡眠導入剤を処方してもらいました。飲めばたちまち眠れるのはいいのですが、二度と目が覚めないのではないかと思うと怖いのです。病気の前は朝起きたら目が覚めるのが当たり前だと思っていたのですが、決して自明ではないことに思い当たりました。

でも、そんなふうに自分の生命について意識した時に、朝目覚めることが、それだけでどれほどありがたいことかと思えるようになりました。それからは、精神的に安定しました。

やがて、朝目覚めたら、今日一日何か仕事が残されていると思うようになりました。そうして、毎日を丁寧に生きられるようになると、私は自分が生きているだけで価値があると思えるようになりました。その上で、できることがあれば、他者に貢献してみたいと思うようになりました。

そして何が起こったかというと、仕事が終わってからや休みの日に私の病室にこられた看護師さんらの相談にのるようになりました。患者なのにカウンセラーになりました。

古代のギリシア人はこんなことを考えていました。「生まれてこないことが何にもまさる幸福である」と。生きることが苦しいと思ったことのある人ならわかるでしょう。次に幸福なことは、「生まれてきたからには、できるだけ早く死ぬことだ」。でも私は、これは違うと思う。それでもやはり生きないといけないのです。苦しみを感じられるのも生きていればこそです。苦しくても、それでも生きていることが貴《とうと》いのです。

生きていると嫌なことも、つらいこともある。それでも「ああ、生きていてよかったな」と思う。それが私にとっての生命です。

——哲学は、大学でなくても学べますか?

岸見　講義でも述べましたが、大学でなくても勉強できます。勉強できるというのは本当に大事なことだと思います。今は、私は競争しなくてもいいのがありがたいですが、若い人でも競争や成績と関係なく勉強できます。哲学に限らず、外国語も勉強してください。私は六十歳になって韓国語の勉強を始めました。中国語の勉強も始めました。

それまでは、ギリシア語、ラテン語とか西洋の言語ばかり勉強してきました。韓国語は、韓国で講演する機会が増えたので挨拶だけではなく、もう少し話してみたいと思いました。

私は会話を学ぶというよりは、韓国文学に初めて目覚めたのです。文法をひと通り学ぶと、すぐに韓国の作家の本を韓国人の先生と読みました。でも、資格を取るための勉強ではなく、今日この一文が読めた。そういう喜びを積み重ねていく読書です。

哲学書もそんなふうに読みました。例えば、デカルトの『方法序説』。大学二年生の時にフランス語を学び始めてまもなくこの本を読み始めました。専門用語はほとんど使われていませんが、ラテン語のように複雑な構文で書いてあるので簡単には読めません。先生に質問したら「自分で考えろ」といわれました。

でも、一文でも読めると嬉しいでしょう？　語学に限らず、勉強する時にそのような喜びを感じていくことが、苦しい人生の中にあっても生きる喜びになる。これまで考えていなかったことを少しずつ嚙み締めて読んでいく喜びを持たれたらいいと思います。

——最初のほうで哲学は具体的に考えて想像力を働かせることだという話があり、他方、経験則からだけでは学べないという話があったと思います。人は困難にぶつかった時に、今までやってきたことを基準にしてどう対処しようか決めると思うのですが、そういう時に哲学をどう活かせばいいでしょうか。

岸見　苦しいことから脱却しようと思って本を読んだり人から話を聞いたりすることがあります。その時には自分自身の考えを持っていないので、誰から何をいわれても、なるほどと思ってしまいます。

でも、そんな時こそ、自分が正しいと思った考え方が唯一絶対ではなく、本当なのかと疑うことは大切です。経験則で学んだこともそれが間違っていると認めることはなかなかできません。

人生も同じです。一回やり始めたことを途中でやめて、違うことを始めるのは難しい。それまでにかけた時間、エネルギー、お金を思うと新しい人生を踏み出すことには勇気がいります。自分の人生を生きていないかもしれないと思った時には違う人生に踏み出す勇気が必要です。そのような決断ができるために、自分を客観視できる冷静さが必要です。それを可能にするのが哲学だと私は考えています。

最初のほうで母の看病していた時の話をしましたが、哲学を知らなかったら、不幸の渦中でただつらい思いをしていただけかもしれません。少しずつ死んでいく母の病床で過ごすことはつらかったですが、病床で過ごすというような経験は求めてもなかなかできるものではないと思えたのは哲学を学んでいたからです。「こんな時に役に立つのが哲学だ」という私の先生の言葉の意味がわかりました。

だから、哲学は、自分はただただつらい現実を送っていると感じている人に、自分だけどうしてこんな目に遭わないといけないのだというような不平をいうことを思いとどまらせる力を持っていると思います。

後に、父が認知症を患《わずら》っていることがわかりました。私自身も病み上がりだったのですが、父の介護を自宅ですることになりました。これもめぐり合わせです。もしも今のように忙しかったら、とても父の介護などできなかったのですが、晩年の父とそんなふうに一緒に毎日過ごせるというのはある意味幸せなことだと思いました。

哲学を学べば、自分は今こう突っ走ろうとしているけれども、時々立ち止まる勇気、自分が一度手掛けたことでもやめる勇気を持つことは、きっとできるだろうと思います。

第2講 どうすれば幸福になれるのか

原因論から目的論へ

人間について考える時、後ろから動かす力を考えるのが、「原因論」です。後ろから動かす力といえば、例えば感情が自分を押し動かすと考えられます。「つい、かっとして」というふうに、後ろから怒りという感情に突き動かされたという感じです。

あるいは、過去の諸々の経験。今生きづらい、あるいは対人関係がうまくいっていないのは、過去に経験した何かの出来事が原因であると考える。

それに対して、この講義で考察する「目的論」は、人がどこに向かうかを考えます。もちろん、後ろから動かす力がないわけではなくて、その影響が、私たちの今の生き方を大きく左右します。過去に経験したことが、まったく今の人生に影響を与えないはずはない。

人間は自分の意志に反して何かを経験した時、例えば、事故や災害に遭うというような経験をした時に、そのことが今の生き方に影響を与えないはずはありません。

それでも、人はそれらによって決定されるのではありません。どこに向かっていくのかという目的、あるいは目標を立てることができます。

ただし、何かをしたいと思っても、手を縛られていたら手をあげることはできません。

そのような行動を制約するものはあっても、それらによって決定されるのではなく、目標、あるいは目的を立てて進んでいけると考えるのが目的論です。

現代の脳科学では、自分がある行動を選んでいるのではなく、行動は無意識のうちに選ばれているのであって、意識はそれを追認するだけだと考えます。選んだのは自分ではなく、実際には脳であるのに、自分で選んだと後から思い込むというのです。

しかし、これは人間の行動についての一つの見方でしかありません。そもそも自由意志がなかったら責任を取ることはできません。チョークは手から離せば必ず落下しますが、私たちは違った行動、あり方を取ることができます。たとえ空腹であっても自分が持っているパンを本当に必要とする人に差し出す決心ができる。そうすることが自分にとって得であるという判断ができるからです。

前回は、この得であるということが善の意味であることを見ました。この善が「幸福」であるというのが、今日の話です。

ソクラテスのパラドクス

「誰一人として悪を欲する人はいない」という「ソクラテスのパラドクス」と呼ばれる命

題があります。なぜこれがパラドクス（逆説）といわれるかというと、悪を欲する人もいるではないかと思えるからです。

最近の新聞やネットを見ていると、政治家が悪の限りを尽くしている。彼らが不正を進んで、好んで行っているではないか。他方、無能な政治家の尻拭いをするために、明らかに虚偽としか思えない嘘をつかされる官僚たちは不正を嫌々しているのではないか。自分がしていることは正しくないということはわかっているのに、やむを得ず不正を犯しているのではないか。

しかし、前回話したように、悪を「ためにならない」「得にならない」、対義語の「善」を「ためになる」「得になる」という意味だと知ってソクラテスのパラドクスを読み返すと、違った意味が読み取れます。「誰一人として悪を欲する人はいない」というのは、「誰も自分のためにならないことはしない」、逆にいうと「自分の得になることしかしない」という意味です。当たり前のことがいわれているのです。

ですから、官僚は自分がしていることが不正であることは知っているはずですが、不正を犯すことが自分にとって善であると判断したからこそ、嘘をつくのです。評判を落としても最終的には昇進できるのであれば、嘘をつくことが善（得）である、不正こそ善であると判断し不正を選んだのです。

プラトンは、不正は善ではないことを本当に知っていれば、誰も不正を犯したりはしないはずだと考えます。

プラトンの『クリトン』という対話篇でソクラテスが「大切にしなければならないのは、ただ生きることではなく、よく生きることだ」といっています。今も話の流れでいえば、本当は「善く」と書いたほうがいいかもしれません。

つまり、「善く生きる」というのは、自分にとって「ためになる生き方をする」という意味です。どう生きることが自分にとって善なのかを考えて生きなければならないといっているのです。

プラトンは、この「善」を「ためになる」という意味で使っていますが、「悪」は反対に「ためにならない」また「害を受ける」と言い換えています。さらにそれを「不幸になる」という言葉に置き換えている。だから、誰も害を受けたくないし、困ったことにならないことを願っているはずで、その意味では誰も不幸になることを望まない。逆にいうと、誰もが幸福になることを願っている。「善く生きる」というのは「幸福に生きる」という意味になります。

大切にしなければならないことは、ただ生きることではない。幸福に生きることだ。誰も不幸を願っていないのだから、これは当たり前のことをいっているように見えますが、「ならない」という言葉を使っている。「大切にしなければならない」といっているわけで、ただ生きているだけでは、幸福に生きられないということです。

ただ生きているだけでは幸福に生きることにはならないので、どう生きることが自分にとって得になるのか、幸福なのかを考えないといけない。幸福を目指していても、何が幸福か知らない。これが、私たちが置かれている状況です。

ですから、幸福になりたいと思っていても、どういうことが幸福であるかは必ずしも自明ではない。不幸になりたい人はいません。プラトンはそういう前提から話を始めていますし、私たちも不幸になりたいと思っていないはずです。それなのに、不幸な人がいるのは、幸福であるための手段の選択を誤っているからです。

ですから、私たちが大切にしなければならないのは、「善く生きる」ということですが、その「善く生きる」ために、あるいは「幸福に生きる」ためにどうすればよいかということを知らなくてはなりません。

幸福と幸福感は違う

このように考えた時に、プラトンが考えている幸福は、「幸福感」ではないのです。お酒を飲んで酩酊《めいてい》状態にある人や、覚醒剤、麻薬を使う人は幸福感に満たされます。しかし、酔いが覚め、薬が切れると高揚感はなくなります。

酒や薬でなくても、耳に聞こえがいい言葉やスローガン、例えば、東日本大震災の後に使われた「絆」のような言葉は耳に心地がいい。情緒的なものに訴える力があります。

オリンピックの最大の効用は国威発揚だという人がいます。でも、これはオリンピック憲章に反しています。オリンピック憲章は、「政治的、宗教的もしくは人種的な宣伝活動」を禁じているからです。国民が一丸となってオリンピックに邁進《まいしん》する。そういう時に、非常に高揚感があって、幸福感を持てるとしても、そういうものと幸福はまったく違うものです。

一体感を持たせようとする世の中の風潮は非常に危険です。感性的なものに幸福を結びつけて考えるのは間違っていると私は考えています。感性に訴えるのは反主知主義です。

幸福というのはあくまでも主知主義的なもので、何が幸福であるかということを知ることが出発点です。

それに対して、感性的なものに訴える反主知主義的な思想が幸福論を抹殺《まっさつ》していると三木清はいっています。三木が生きていた時代は、国粋主義的な風潮によって幸福が感性的なもの、全体主義的なものと考えられる中、個人的な幸福は抹殺されていました。

プラトンだけでは気づけなかった幸福

幸福の話は、プラトンの対話篇を読むと出てきます。ただ、長年プラトンの研究をしていたにもかかわらず、私は満足できないでいました。なぜなら、幸福の内実については何も書かれていなかったからです。そんな時に、アドラーや三木清の著作に触れ、思いがけず、かなり具体的に幸福とは何かを知りました。

私が「幸福とは何か」を考え始めたきっかけは、前回も触れましたが、二十五歳の時に母が脳梗塞で突然倒れ、結局三か月の闘病の後、亡くなったことでした。

身体がまったく動かない、さらには意識を失っても、人は幸福に生きることができるのかということを母の病床で三か月、ずっと横にいて考え続けたのです。

私は、お金があっても幸福とはいえないだろうと思いました。私は、お金とは縁のない人生を送ると思っていましたが、名誉はほしかった。それは、大学教授になるというような社会的地位を得ることです。でもそれとて、身動きが取れず意識がなくなった時には、意味がないだろうという結論に達しました。

母は結局亡くなりました。それで、母の遺体と一緒に家に帰った時に、自分のこれからの人生に敷かれていると思っていたレールから大きく脱線した気がしました。半年ほどして大学に戻りましたが、以前と全然違うのです。同じように勉強していても、身が入らないわけではないのですが、もっと学ばないといけないことが他にあるのではないかと考えてしまう。それが二十五歳頃のことです。

それ以来、釈然としない、納得がいかないまま歳を重ね、アドラーや三木清を学ぶことでようやく具体的に、幸福について考えられるようになりました。

幸福は存在である

まず、幸福は成功ではありません。三木は著書『人生論ノート』の中で幸福と成功を対置していますが、厳密にいうと、幸福が究極のものであって、成功は幸福であるための手段でしかないということです。

幸福と成功の違いについて、三木がいっていることを読むと、幸福がどういうものかが見えてきます。三木は「幸福は存在である」といいます。「成功はそれに対して過程である」。この二つを並べて考えるとその意味がわかります。

今の時代は、誰もが成功することを願っているように見えます。でも、成功すれば本当に幸福になれるのかというと自明ではない。「成功は過程である」というのは、大学に合格し、就職するというような過程を経なければ成功しないということです。

さらにいえば、何かの目標を達成するまでの人生は仮の人生、準備期間であることになる。未来には仮ではない本当の人生が待っているのではないかと思ってしまう。しかし、本当にそうなのか。

それに対して「幸福は存在である」。幸福に「なる」のではなく幸福で「ある」。何かの目標を達成しなくても、「今ここ」ですでに幸福で「ある」ということです。

この幸福には「進歩」というものがありません。だから、「より」幸福になるということはない。昔も今も未来になっても、私たちはずっと幸福であり続けるのであって、その幸福に進歩、あるいは、退歩がない、前ほど幸せでなくなることはないということを、三木は「幸福は存在である」という言葉を使って説明しようとしています。

もう一つの意味が、「本当に」幸福で「ある」こと、それだけに意味があるということです。人から幸福そうだと思われても、本当に幸福でなければ意味がないのです。

幸福はオリジナルである

他の人から見て、どんなに幸福に見えても、実際に幸福でなければ意味がありません。三木はこんなふうに説明しています。

「幸福は各人においてオリジナルである」

ある人の幸福は他の人には理解できないことがあります。成功のように「一般的なもの」ではないからです。

自分の子どもに自分の仕事を継がせたいと思っても、子どもに親の仕事を継ぐことを拒まれると、親もまわりの人も理解できず失望します。違う道に進んで成功できないことが予想されたら、子どもに翻意を迫るでしょう。

それに対して、成功は一般的なもので、成功を目指さない人はいないといっていいくらいです。三木は、立身出世主義の人を御《ぎょ》するのは簡単だといっています。立身出世したい人に昇進をちらつかせると、上司や組織の言いなりになり、いわれるがままに嘘をつくようになる。

成功を目指す人は「個人」であってはいけないと思い、就職活動の時には、誰もが同じスーツに身を固め、面接に臨む。パソコンを自在に扱えると、自分を「人材」として売り込もうとする。人材というのは優れた人くらいの意味で、もともとは悪い意味ではないのですが、今では、商品のように自分を他の誰とも取り替え可能なもの＝人材としてアピールする。

このようなことになるのは、企業側が「あるべき理想像」を若い人に押しつけ、一般的な人を求めているからです。

本当にこんなことでいいのだろうか。良識のある若者は立ち止まります。ある若い人と話をしたことがあります。彼は五月になる前に会社を辞めました。世間でいう一流企業に就職した彼を成功者と見なした人も多かったかもしれません。

なぜ辞めたのかとたずねたら彼は即答しました。一つは、飛び込みの営業をさせられたが、契約を取れなかった。彼は優秀な人だったので、それまで人生で一度も挫折したことはなかった。そこで、初めて挫折を経験したのです。

でも、退職を決めた本当の理由は、先輩や上司を見ていても少しも幸福に見えなかったということでした。

退職を決意するのは容易ではなかったかもしれません。この会社で働ければ、三十歳になったらマイホームが建つかもしれない、でも、四十歳になったら墓が建つ。そういうことをこれから先の人生に見てしまった。成功することが人生の幸福なのかどうかを立ち止まって考えられる、そんな人になってほしいと思います。

成功は量的、幸福は質的

三木は、成功は量的なものであるのに対して、幸福は質的なものであるといっています。

私の本『嫌われる勇気』はミリオンセラーになりましたが、私にとって大切なことは量的な成功ではなく質的な幸福です。何冊売れたかではなく、本当に届くべき人のところに届いたという実感が、私にとって量では測ることができない質的な幸福なのです。

質的ということについて少し補足すると、「美」も質的なものです。美を量的なものだと考える人は、美しい女優さんを見て、あんなふうになりたいと思って、どんな化粧品を使っているのか、あるいはどんなダイエットをしているかを調べ、同じことをすれば、自分もあの人のようになれると思って追随《ついずい》しようとします。

でも、美しさは量的なものではありません。歳を重ねたから人は美しくなくなるわけではなく、歳を重ねた人がいよいよ美しくなるということはある。そういう人の美しさは量的なものではなく、誰も真似ることのできない質的なものです。

幸福もオリジナルであることに加え、質的なものなので、誰も追随しようとは思わないでしょう。

個性と秩序の問題

今の世の中は個性を求めません。皆と違うことをする人は叩かれますが、そうであってはいけないと思います。

三木が生きた戦前・戦中には、個人が幸福になることを考えてはいけないという風潮がありましたが、実は、今も同じではないかと思います。

本来は、個人の幸福を求めてもいい。もっと個性を出して生きていけばよい。それなのに、そういう生き方を社会は求めない。秩序が大事だと考える。なぜ秩序が大事だと教えるかというと、自分の判断で動くような人になっては困るからです。

秩序が一番必要なのは戦争の時です。戦争の時は、秩序が強要される。召集令状は俗に

「赤紙」と呼ばれていましたが、一銭五厘です。これで徴兵された。今の貨幣価値でいったら百円くらいでしょう。砲弾よりも人の命のほうが安い。だから負けが込んできたら、どんどん兵士を追加投入しました。そういう軍隊の世界では、個性はいらない。常に取り替え可能なものとしての兵士が求められたのです。

今の時代、子どもが自分の判断で動くことを望まない人が多いですが、逆に私は、子どもが自ら判断するのは好ましいことだと考えています。

秩序を強要する側は叱ります。教師は生徒を、親は子どもを叱る。一番の問題は叱られた子どもが個性を失い、自分の創意工夫で動かなくなることです。下手なことをして、大人やまわりの人から叱られるくらいだったら、自分の判断で動かないでいわれたことだけをしようと思う人が出てきます。

今の官僚たちがそうなのです。あんな見え透いた嘘をつかされる。でも、責任は問われない。上司から命じられたといえば、それで通ると思っています。でも、上司の言いなりになると決めた時点で、それが「善」だと判断した責任が生じます。

それで、後々、政治の世界でなくても、自分の下した大きな決断が間違っていたことが明らかになった時に、「あの時、本当は、私はそういうことをするつもりはなかった」というのは、率直にいってずるいです。「親が反対しても自分の人生を生きる」「私は成功者にならなくてもいい」「幸福な人生を歩む」といえるような若い人たちを育てていくことが親も含めて教育者の仕事です。

だから創意工夫ができなくなるというのは、「叱る」ということの一番の大きな問題だと私は考えています。前回言及したスティーブ・ジョブズは、一九八四年にすでに、後のiPhoneの原型だと誰もがわかるようなデザイン画を残しています。一般的には、例えばそういうものを上司に見せると、「こんなものを実用化できるわけがないだろう」といって上司は部下を叱るでしょう。そうして、若い人の発想を潰《つぶ》してしまいます。

でも、若い人の知性や感性のほうが絶対に優れています。年長者ができることは若い人の邪魔にならないことです。だから、若い人の斬新な発想を実用化できるわけがないなどといって潰したりしてはいけないのです。時に若い人が失敗することがあっても、上司が、大人が責任を取るしかないので、自分の創意工夫で動ける、生きていけるような人を育てていくことが、年長者の責任です。

『嫌われる勇気』という本のタイトルだけが、一人歩きしている感があります。でもこれは、人から嫌われなさいといっているのではなく、「人から嫌われることを恐れるな」という意味です。人からどう思われても、正しいことをいい、正しいことをしないといけないのです。上司は部下を抑えるのではなく、そうできるように援助しなければならない。本当のことをいって左遷されたくないなどと考えて、正しいことをしない、いうべきことをいわない、するべきことをしないということがあってはいけません。

アドラーは「認められようとする努力が優勢になるや否や精神生活の中で緊張が高まる」、そうなると「行動の自由を著しく制限される」といっています（『性格の心理学』）。実際、人の顔色を窺《うかが》い、評判や名誉を気にしてしまうと、いうべきことをいえなくなるのです。

幸福は人格的なものである

この回の最後にもう一つ。三木は「幸福は人格的なものである」という言葉を使っています。

「幸福は人格である。ひとが外套《がいとう》を脱ぎすてるようにいつでも気楽にほかの幸福は脱ぎすてることのできる者が最も幸福なひとである」（『人生論ノート』）

一般的に幸福と見なされているものが「成功」です。それを外套のように気軽に脱ぎ捨てられる。そういう人が本当に幸福な人である。でも、脱げないのは、人からどう思われるかを気にし、人から期待される、つまり「成功する」人生を生きないといけないと思っているからです。そのような人は、今着ている外套を気軽に脱ぎ捨てることはできません。しかし、それを脱ぐことができる人は幸福だと三木はいうのです。

「しかし真の幸福は、彼はこれを捨て去らないし、捨て去ることもできない」

真の幸福は脱ぐことができない。私は心筋梗塞で倒れた時、仕事も身体の自由も奪われました。お金とか社会的地位とか名誉とかいったものは、外套のように脱ぎ捨てることができるけれども、真の幸福は脱ぎ去ることはできない。捨て去ることはできない。なぜかというと、「幸福は彼の生命と同じ」だからです。「彼の幸福は彼の生命と同じように彼自身と一つのものである」。だから、真の幸福は何があっても脱げないのです。

「この幸福をもって彼はあらゆる困難と闘うのである。幸福を武器として闘う者のみが斃《たお》れてもなお幸福である」

幸福は武器なのです。そういうものを私たちははたして持っているか。いろいろなものを失っても、真の幸福は生命と同じように捨て去ることができない。そういう幸福というのが、いったいどういうものかを考えていなければいけない。

ゲーテの言葉（『西東詩集』大山定一訳）を三木清は引いています。

「自分自身を失わなければ／どんな生活も苦しくはない。／自分が自分自身でさえあれば／何を失っても惜しくはない」

たいていの人が小さい時から人から、こうあれという理想を押しつけられて生きてきています。だから、ありのままの自分ではなく、「特別よくあれ」と大人たちから要求され、その期待に添うべく生きています。成績がよければ幸か不幸か進学校に入学し、やがて大学にも入れます。では本当に自分自身として生きているかどうか。

もっと早い段階でつまずく人は特別悪くなろうとします。問題行動をしたり、神経症になったり、不登校になったり引きこもったりします。

でも、特別でなくてもいいのです。自分自身であればいいのです。さらにいえば、人から自分の価値を認めてもらわなくても、自分で自分の価値を認められるようになれればいい。

人からほめられると、自分に価値があると思える。これは小さい時からの承認欲求です。人から自分がしていることがよいといわれなければ、自分のしていることに価値があると思えない人があまりに多いように思います。

カプスという若い詩人が、リルケのところに自分の詩を送りました。雑誌社に紹介してもらうことを期待していたのでしょう。でもリルケの返信は、「こんなことは、もうおやめなさい」とそっけなかった。夜中に自分に対してこう問いなさい。「私は詩を書かずにはいられないか。それに対してJa（はい）であれば詩を書きなさい」と。

古来芸術家たちは、生前まったく評価されない人が多かった。ゴッホもゴーギャンもそうです。でも、そういう人たちが評価されないからといって、絵を描くのをやめたはずはないでしょう。それと同じで、私たちも人から評価されなくても、自分で自分のしていることを、あるいは、自分自身で価値があると思えることが「自立」ということの意味です。

今日は幸福についての話をしましたが、成功しなくていいと思うのです。何者（somebody）かにならなくていいのです。量的なもの、あるいは一般的なものではない自分自身の人生を生き切ればいいのです。

［質疑応答］

――ソクラテスは死刑になる前の裁判で、どんなことを話したのですか。

岸見 プラトンの『ソクラテスの弁明』では、アテナイの人々に次のように訴えています。

「君たちはお金ができる限り多く手に入ることには気を使い、そして、評判や名誉には気を使っても、知恵や真実には気を使わず、魂をできるだけ優れたものにすることにも気を使わず心配もしないで、恥ずかしくないのか」

「知恵や真実には気を使わず」というのは、幸福が何であるかを知らなければならないのに知ろうとしていないということです。また「魂をできるだけ優れたものにする」については、幸福になるために人は魂を優れたものにしなければいけないと、プラトンはここでソクラテスに語らせています。

身体を優れたものにするといっているのではありません。プラトンは身体をあまり重視していない。身体は思索《しさく》する時に妨《さまた》げになる。勉強していると、眠たくなる。お酒を飲んで酔うと気持ちがよいでしょうが、何も考えられなくなる。身体はこのように知的活動の妨げになるとプラトンはいいます。

人間が死ぬということは、魂と身体が分かれること、魂が身体から離れていくことだとプラトンは考えました。思索する時は、身体に引きずられてはいけない。生きている時も魂だけにならなければならない。哲学は「死の練習だ」という言い方をします。

これは「自殺しなさい」といっているわけではなく、死を模倣すること。魂が身体から離れていくのが死であるとすれば、思索する時もできるだけ身体的なものに影響されないで、思索することに専念しなければならない。だから、そう思って生きてきた哲学者が、死を間近にして死を怖れることはおかしいと、プラトンは考えるのです。

ここでは、身体は滅びても魂は不死なので魂を大事にしないといけない、という言い方をしています。別の対話篇では「魂の世話」という言い方をする。身体の世話は誰もがします。病気になったらすぐに病院に行き、診察を受けて、薬を処方してもらう。手術を受ける。しかし、魂の世話をする人は少ない。

哲学者とは「知を愛する人」という意味であることを前回話しましたが、知を愛している人は魂をこそ大事にする、魂を世話しないといけない。これをギリシア語でラテンアルファベットを使って書くと（少し語順を変えますが）、tes psyches therapeiaとなります。

気づかれた方もおられると思いますが、これは、英語ではpsychotherapy（サイコセラピー）、心理療法、精神療法です。精神療法という言葉は、もともとはギリシア語では「魂の世話をすること」「魂をよりよくすること」という意味なのです。
ソクラテスは本当に大事なもの、魂、あるいは真実や知恵というものに気を使わないで恥ずかしくはないのかと問います。この「恥ずかしくはないのか」というのは、今日の政治家、官僚たちに声を大にしていいたいです。

——心理学を学ぶ上での姿勢について質問させてください。自然科学の場合は、正しさの証明というのが実験によってなされるので、この説とこの説ではどちらが正しかったかということがわかります。一方で、心理学の場合は、アドラーとかユングとかそれぞれいろんな説がありますが、その正しさはどちらかにあるのでしょうか。例えば、この人はこう考えたというだけの話なのか、あるいは、論理的にこちらのほうが正しいといえることがあるのかないのか……。

岸見　正しいか正しくないかというと、どちらともいえません。ただアドラーの考え方に依拠して生きてみると、生き方が変わるという手応えがあります。
これは言葉の広い意味でエビデンスです。実際に、例えば子どもや部下を叱らない、ほめない、その代わり貢献に注目して「ありがとう」といってみようと助言すると、家庭や職場での対人関係が変わるでしょう。この実感を手にした人は、そのアドラーの考え方が正しいかとか正しくないかということには、そんなに囚《とら》われないように思います。自然科学と違うのです。

それでも、アドラーは自説を主張する中で、一方では、個人心理学を「科学」といっています。しかし、他方では「形而上学《けいじじょうがく》」ともいっていて、こちらは要するに「哲学」です。

現状を分析するのが、あるいは追認するのが科学だとすれば、アドラーがいう科学は哲学に近くて「べき論」です。現実を説明するのに終始するのではなく、あるべき理想を問題にするのです。ですから、とても実践できない理想論だといわれることがあります。

でも、哲学は「べき論」でなければ意味がありません。例えば、人はつい、かっとして叱るものだ。それは仕方ないことで、そんなふうに叱るようになったのは小さい時の親子関係によるからだ、というようなことをどれだけ分析しても人生は変わりません。ですから実践は難しいと思えても、叱ることの代わりにできることをアドラーは提案します。その通りにしたら対人関係は必ず変わるという手応えを感じた人には、正しいか正しくないかは関係ありません。でも、経験則から子育ての技法を提案しているわけではなく、理論的な基礎づけがあるのです。

もしもアドラーが今日の薬物療法を知っていれば、それに関心を示したであろうと、彼の娘で精神科医のアレクサンドラ・アドラーはいっています。しかし、神経症についていえば、アドラーは症状を除去すればいいとは考えず、症状の目的を考えます。ある目的のために作り出されるものなので、その目的を変えないまま症状を除去すれば、アドラーの言葉を使えば、「何のためらいもなく別の症状を作り出す」ことになります。アドラー心理学はこのように、目的を考える科学であり哲学なのです。

今日アドラーのことも知っていて、他の心理学のことも知っている人の中には、理論や技法を折衷《せっちゅう》する人がいますが、原因論と目的論は相容《あいい》れない考え方です。依《よ》って立つ考えが違うので、このようなことをしてはいけないと私は考えています。


――「幸福になる」ではなく、「幸福である」という考え方があったかと思います。その後に「幸福である」ためには「自分自身であれ」といわれたと思います。今、私がここで先生の話を聞けることが嬉しいと思えることが、幸福に生きるための第一歩なのかなと思ったのですが、そういうことでよろしいでしょうか。

岸見　はい。幸福であるのに、それに気づいていないだけかもしれないのです。だから、言葉の普通の使い方でいうと、幸福で「ある」ということに気づくことが、幸福に「なる」ことだといえます。今いわれたように、ここに私たちがこうしていられるのは、一人ではできないことです。いろいろな人とつながっているからです。

でも、そういうふうに、人とのつながりの中に、自分が生きていることに気がついた時は、もはや何もそれ以上のことを達成しなくていい。三木清はそれを「自分自身である」という言い方で表現しています。成功しなくても、自分が存在していること、生きていること、しかも、人とのつながりの中にあるということに気づくことが幸福なのです。

幸福であるための条件というものもありません。こういうことを達成したから幸福であるというのは普通の言葉づかいですが、それは成功でしかなく、幸福ではありません。

何かを達成したら幸福になるのではなく、そういうことを待たずに幸福である。逆にいうと、不幸の条件もない。誰でも大きな出来事に遭遇《そうぐう》することが人生で一度や二度はあるでしょう。例えば、親を亡くすというような経験をする、子どもを亡くすという経験をするかもしれない。そういう時に私たちは不幸のどん底に落ちたと思うでしょう。

このような出来事を経験した時に、何も感じないはずはない。大きなショックを受けます。立ち直るのにずいぶん時間がかかります。自分が望んでいないことをいきなり体験した時、自分の意志に反したことを強いられた時に人が心を病まないはずはありません。アドラーはトラウマを否定しますが、そういう意味では、心に傷を受けないはずはない。「それらは不幸の条件ではない」ということに気づくのには、かなり時間がかかるかもしれません。だからそういう経験をされた方が、例えば十年、二十年経って、よかったとは思えないけれども、あの出来事には何か意味があったのかもしれないと思い当たる日がくるかもしれません。

肉親を亡くされた方によく話をする機会があります。亡くなった人の夢を見ている間は、まだ亡くなった人との関係が終わっていない。やり残したことがある。だから夢を見ても、故人の夢を見る。私の経験でいうと、母を亡くして十年くらい経ったら、母の夢を見なくなりました。

死は悲しいですが、いつまでも悲しみに打ちひしがれていてはいけない。無理に悲しみを抑えようとする必要はないけれども、やがて前のように亡くなった人のことを四六時中考えていないことに気づく日がくる。そんな日がきても、薄情であるわけではない。それが人間のノーマルなあり方だと私は考えています。

今日の講義の最初にもいいましたが、原因論的な思考から脱却しなければなりません。こういうことがあったから自分は幸福だとか、こういうことがあったから自分は不幸だと考えないのが大切です。

幸福は幸運ではありません。幸運なことがあったので幸福になるのではありません。逆に不運なことがあった時に幸福でなくなるわけではない。そういうふうに何かによって幸福が決まるわけではない。あるいは、何かによって不幸が決まるわけではないのです。

成功と失敗も幸福をいささかも揺るがさない。そう思えるようになると、ずいぶん人生が違って見えてくるでしょう。

真剣に生きていく必要はもちろんあります。どんなことも全力投球で打ち込まなければなりません。仕事であれば、真剣に取り組まないといけません。真剣であることは、生きていくにあたって絶対必要です。でも、深刻にならなくてもいい。

たしかに、不運なことに出会った時に、深刻になってしまう。その深刻から抜け出すのには、時間がかかりますが、深刻になっても何の問題解決にもなりません。

——今日の話の中で、「幸福が存在する」というのがあって、後半は彼の幸福は彼の生命だと。存在＝生命であるというのは納得できるのですが、話を聞いていると、真の欲求という話もあって、何かただの生命ではないように思います。

岸見　私が考えているのは、身体が消滅したら途絶えるような生命のことではありません。人の価値は存在にある、生きていることに価値があるというと、普通の意味で人が死んだ時、その人にはもはや価値がないのかといったらそうではない。人は死んだからといって存在しなくなるのではありません。生命が失われるわけではない。

死んだ人は身体がなくなるだけであって、生命はずっと続く。今、私はマイクを使って話をしています。マイクのスイッチが入っていなかったら、私のこの声は後ろにいる人まで届きませんね。

このマイクが私たちの身体です。このマイクが時々接触不良になります。一時的に悪くなって、オフになってしまう。そういう時に声は届かない。それが病気の状態です。でも、またうまい具合いにスイッチが入る。

永遠にマイクの電源がオフになってしまうのが死です。死んだ人はおそらくマイクの電源がオフになっても話すのをやめていないはずです。ずっと話しているでしょう。ただ、電源が切れてしまったから、その声は生きている人には届かない。

私は、人間は身体の消滅によって終わりになるわけではないし、死んだ後も人は他者に貢献できるということを、命、あるいは生命という言葉に被《かぶ》せて伝えたいと思っています。

——それが、存在でもあるという。

岸見 そうです。ずっとあり続けるという。だから亡くなった人はずっと話し続けているけれども、その声は聞けないし見ることもできないし、触れることもできない。でも、知覚的に知ることができないだけであって、亡くなった人のことを思い出すことはあるでしょう。その時に、脳のどこかに古ぼけたセピア色の記憶があって、それが蘇《よみがえ》ってくるのではなく、亡くなった人のことを思う時、その人はここにいるといっていいのです。

そういう意味では、遠く離れて暮らす家族と同じです。家族のことを思い出した時（私の息子はめったに帰ってこないので、長く会っていないとよく思うのですが）、ふと思い出した時に子どものことがありありと思い出せる。そんな経験はありませんか。それと同じことを亡くなった人についても当てはめて考えることができます。

遠く離れて住んでいる家族、友人とは再会できないわけではありません。でも、死んだ人とは二度と再会できない。この違いはかなり大きいのですが、亡くなった人の不在をこのように考えることで、亡くなった人への思いは変わるでしょう。

喩《たと》えてみれば、更新されないブログです。何回見に行っても更新されていないけれども、そのブログの記事を読むたびに、その人のことをありありと思い出すことができる。

例えば、ある亡くなった作家の本を読んでいる時は、その著者が生きている、そんなふうに思ったことはありませんか。私の主治医は「本を書きなさい。本は残るから」といいました。聞きようによってはひどい言い方ですが、でも本は残るだろうという希望があって、それが私の「不死」につながっていくのではないだろうかと考えました。生命は死と共に消滅するようなものではなく、永遠と結びつけて考えていかなければいけないだろうと思っています。

第3講　対人関係が悩みのすべて

人は一人では生きられない

前回まで幸福とは何かという話をしてきました。今日は対人関係の話をします。長年、プラトン哲学を学んできて、物足りないと思っていたのは、プラトンが答えを出していないことでした。彼の対話篇を読んでみても、その教えを現実の対人関係の中で、どう活かせるかということはあまりわかりませんでした。

アドラー心理学は目的論を打ち出しますから、その意味でギリシア哲学の流れにある心理学だと私は理解しているのですが、大きな違いがあります。それはアドラーが「対人関係」を考察しているところです。

幸福についても、内面的なものというより、対人関係の中で見ていかなければならないということを私に教えてくれたのは、プラトンではなく、アドラーでした。

それでは講義に入りましょう。

人は一人では生きられません。「人間」というのは、「人の間」と書く。一人以上の人がいて、ようやく人間になれるのです。

そのことの意味はいくつかあります。まず、人は生物としては非常に弱い存在なので、一人では生きられない。アドラーは、バッファローのような、単体では弱い、あるいは敵に襲われるので、群れをなして生活をする動物を例にあげています。人についても同じです。生まれたばかりの子どもは、親に不断に世話されなければ、片時も生きていくことはできません。

次に、一人では生きられないということの意味は、子どもだけでなく、大人も他者からの援助を必要とするからです。「誰も」一人では生きられない。絶えず人の援助を必要とします。逆に援助をする人は、必要としている人がいれば、援助の手を差し伸べます。それが、人間であるということです。

ところが、援助を求めようとしない人がいます。あまり人に自分の弱いところを見せたくないのでしょうね。でも、本当につらい時はつらいといえるような関係を築いていかないといけません。

例えば、誰かが亡くなったという話を聞かされたとします。誰かが亡くなったということを聞いたら、面識があるわけではなくても、自分の中の何かが失われたような感覚に襲われることがあります。

家族であればなおさら、自分の一部と思っていいほどに親しかった人が、この世界から消えてしまったと聞いた時は、自分の一部もまた同じようになくなったのではないかという感覚を持たれた方も多いのではないでしょうか。そういう意味でも、人は一人では生きているわけではなくて、人と人はつながっていると考えていいと思います。

他者は初めから存在しない

自分だけではなくて、この世界には他者がいるということに、人はいったいいつ気がつくのでしょうか。私が哲学を学ぼうと思ったきっかけは多々ありました。一つは小学生の頃に体験した肉親の死でした。

それとほぼ同じ頃、私には一つ年下の妹がいるのですが、その妹が私にとっては他者であるということがわからなかった。私がこちらから何か風景を見ている時に、この妹も同じ風景を見て同じことを感じているのだろうか。こんなことを考え始めたら、頭がクラクラしてしまいました。

私の孫娘は二歳になったばかりですが、他者の存在を認めているように見えます。最近は、「おいしい？」「大丈夫？」と私にたずねるのです。その時、彼女の世界の中に私が他者として存在しているのがわかります。

人と「もの」は違います。人から見つめられているなという気配を感じて、ふと目を上げたら、それが人ではなくて、マネキンだったり、案山子《かかし》だったりすると安心します。ところが、それが本当に人だとしたら、恥ずかしい。目が合うということは、相手が先に自分を見ているから目が合うわけですから、恥ずかしいと思う必要はありません。それなのに、なぜ恥ずかしいのか。自分が他の人を見た時に、その人についていろいろと感じている。それと同じで、自分を見ていた人も自分について何かを思っていたのだろう。その意味で、自分は「他者の他者」であることに気がつく。だから恥ずかしいのです。

親のほうはどうなのでしょう。親は生まれたばかりの子どもを「もの」として見ているかといえば、そうではないでしょう。

子どもは生まれた瞬間からおそらくいろいろなことを感じているのだろうと、大人たちは思っています。子どもを、可能的な人間というよりは、初めから完全な人間として見ているはずです。目を開けているとしても、見えていないかもしれません。でも、親は子どもが自分と同じように感じていると思って、子どもと向き合っているはずです。

私の母は脳梗塞で倒れ、最後のふた月ほどは意識がまったくありませんでした。そういう母を「もの」だと思って見ているかというと、もちろんそんなことはありません。意識があろうとなかろうと関係なしに、「もの」ではなく人間として見ているはずです。

他者へのネガティブな関心

このように自分だけが生きているわけではなく、他者もまた自分と同じ資格でこの世界に存在しているので、私たちが他者に関心を持たないでいることはできません。

アドラーが「共同体感覚」という言葉を使っています。当初、ドイツ語から直接英訳された時はsocial feelingと訳されました。

しかし、アドラーは後に、social feelingではなくsocial interestという言葉を採用しました。interest、「関心」はラテン語ではinter esseです。interというのは「間に」、esseは「いる」「ある」、英語でいうとbeです。このesseの三人称単数形がestです。二つをつなげると、英語のinterestになります。「私とあなたの間にある」、私とあなたの間に起こっていることが、何らかの意味で自分に関係があるという意味です。自分と対象との間に関連性がある、あるいは相手がしていることが自分に無関係ではないと思えることが「関心がある」ということです。

政治に格別の関心がない人は、今世の中で起こっているニュースを見聞きしても何とも思いません。でも、実は自分に関係があると思った時に、interestという言葉を使います。

アドラーは、例えば、子どもが中国のどこかで殴られているとすれば、そのことに我々皆が責任があるといっています。アドラーはこの例を引いてこういっています。「私はいつも世界を変えるために、何ができるかを考えている」（Bottome, *Alfred Adler*）。そのように思えるためには、他者に関心を持っていなければなりません。

この他者や世界への関心の持ち方に、ポジティブなものとネガティブなものがあります。まず、ネガティブな関心を持つ人について話します。

そのような人は、他者を自分の行く手を遮《さえぎ》る存在として見ます。どんなことでも自分の思う通りになった子ども時代のように、自分の欲求を誰からも止められないのであればいいのですが、実際にはそういうわけにいきません。何かをしたいと思っても、必ず反対する人が現れます。

すると、その他者から認められたいと思います。認められようとする努力が優勢となるや否や、行動の自由が著《いちじる》しく制限されます。「精神生活の緊張が高まる」とアドラーはいっています。本当にいわなければならないことをいえなくなってしまう。SNSでも「いいね」がほしいので、本当に書きたいことを書かずに「いいね」がもらえるような投稿をします。

上司の不正を隠すために平気で嘘をつく今の官僚、政治家に対して「恥ずかしくないのか」とソクラテスだったらいうでしょうが「部下を御してゆく手近《てぢ》かな道は、彼等に立身出世のイデオロギーを吹き込むことである」と三木清はいっています。結果的に昇進するかもしれませんが、失うものは多いと思います。

本来は、上司の顔色を窺い、認められたい一心で「こんなことをいったら、仕事を失ってしまうのではないか」と考えるようなことはせず、本当にいうべきことがいえ、本当にするべきことができなければなりません。

他者へのポジティブな関心

そういう他者へのネガティブな関心ではなく、ポジティブな関心を持っている人がいます。アドラーの場合は、他者を「仲間」と見ています。

「仲間」と訳した元のドイツ語はMitmenschenです。mitは「共に」、Menschenは「人々」という意味ですから、人と人が結びついているということです。Mitmenschenに対して、Gegenmenschenという言葉があります。これは人と人が対立、敵対している(gegen)という意味で、「敵」と私は訳しています。

他者を敵と見るか、仲間と見るかによって人生はずいぶん違います。他者を手放しで信頼できたらいいのですが、何か揉め事を経験すると、まわりの人に心を許してはいけないと思うようになります。

そこで私が注目したいのは、アドラーは人には仲間と敵がいるのではなく、すべての人は仲間であると考えていることです。これはかなり革新的な考え方です。

アドラーは、このMitmenschenという言葉から派生するMitmenschlichkeitというドイツ語を使っています。これは「人と人は仲間である」ということです。共同体感覚はGemeinschaftsgefühlといいますが、Mitmenschlichkeitは共同体感覚を表すもう一つのドイツ語です。

すべての人は敵ではなく仲間だという考えを、アドラーは第一次世界大戦中に思いつきました。アドラーは精神科医でしたから、軍医として参戦し、戦争神経症になった兵士たちの治療に当たっていました。

砲弾が飛び交い、次の瞬間には死んでしまうかもしれない。殺されてしまうかもしれない。自分が殺さなければ殺されるかもしれないという、そんなところにいきなり放り出されたら、人が心を病まないはずはありません。

アドラーは優秀な医師だったので、兵士たちの戦争神経症は治癒《ちゆ》しました。しかし、治った彼らはどうなったか。また戦線に駆り出されました。自分が前線に戻れると判断したことで、もしかしたら彼は殺されてしまうかもしれない。あるいは、敵国の兵士を殺すかもしれない。アドラーは、そういうことを考えたらつらくなり、眠れない日が何日も続きました。

そうした戦争の最中にアドラーは、人と人は敵ではなく仲間であるという「共同体感覚」という思想に到達していきました。これは驚きです。同じ第一次大戦を体験したフロイトは、人には攻撃本能があるといっています。でも、攻撃本能があるから人は殺し合うものだといってしまうと、現状は変えられません。

アドラーは休暇でウィーンに戻った時に、初めてカフェで友人たちに共同体感覚について話しました。Mitmenschenは、新約聖書に出てくる「隣人」と同じ意味です。つまり、「汝の敵を愛せ」という、キリスト教の隣人愛に匹敵する自身の考えを披露したのです。それを聞いた友人たちは、アドラーが話していることはもはや科学ではないと思い、多くの人が彼のもとから去ってしまいました。

他者貢献を感じる時

次は、「他者貢献」について考えてみましょう。まず、他者を仲間と見なせなければ、他者に貢献しようとは思えません。

アドラーは「自分に価値があると思える時にだけ勇気を持てる」といっています（*Adler Speaks*）。「自分に価値があると思える」というのは、ありのままのこの私でよいと思えるということです。

「勇気」というのは、対人関係の中に入っていく勇気です。対人関係の中に入っていくのになぜ勇気がいるのか。人と関われば、摩擦が生じないわけにいかないからです。アドラーは「あらゆる悩みは対人関係の悩みである」と言い切っています。対人関係は不幸や悩みの源泉であるといっても間違いありません。

他方、対人関係の中でしか幸福、生きる喜びを感じることはできないというのも本当です。長く付き合っていた彼や彼女となぜ結婚する決心を固めたのか。この人とだったらきっと幸せになれると思って結婚に踏み切ったわけでしょう。ですから、幸福になるためには対人関係の中に踏み込まないといけない。でも、自分に価値がないと思っていると、対人関係の中に踏み込んでいく勇気を持つことができない——。

しかし、よく考えてみると、これは本当は逆なのです。好きな人がいても、告白できない。一大決心して告白しても「あなたのことを男として意識したことがない」などといわれて傷つく。傷つくくらいなら告白しないでおこう。そう思った人が告白しないための理由として自分には価値がないと思うことにしようとしているのです。

それでは、どんな時に自分に価値があると思えて、対人関係の中に入る勇気を持てるのかといえば、自分が何らかの仕方で他者に貢献していると感じられる時です。他者を仲間と思えなければ、他者に貢献しようとは思えません。

ただ、これは難しいことです。他者を仲間と思えるかというとなかなかそうはいかない時もあるでしょう。二〇一九年七月に起きた京都アニメーション放火事件の容疑者は生死の境を彷徨《さまよ》っていましたが、一命を取りとめました。三十人以上の人が亡くなっていますから、日本の刑法では、死刑になるかもしれません。彼を治療した医師にしてみれば、自分が治療した人が死刑になるかもしれない。しかし、医師たちにとっては、患者は誰であっても、同じ価値を持っていますから、殺人を犯した人であっても、それとは関係なしに命を救うのです。その彼が、「人からこんなに優しくしてもらったことは、今までなかった」といいました。

彼はこれまでの人生の中で、「他者から認められたい努力」をしていました。自分の書いた作品が受賞し、アニメの原作に採用されることを願って、京都アニメーション主催の賞に小説を応募しました。ところが、不採用になった。不採用になれば再びチャレンジするしかないわけですが、自分の才能を認めない他者を「敵」と見なすようになったのでしょう。

その彼が「こんなに優しくしてもらったことはなかった」といったのは、他者への見方が明らかに変わったからです。そうであれば、彼の今後の人生のあり方も必ず変わります。「今後の人生といっても死刑になるではないか」と思うかもしれませんが、人を殺したら死刑になるというのは自明ではありません。

アドラーは死刑と戦争に反対しています。私も反対です。犯人を死刑にすると、更生できないからです。彼は一生かけて罪を償《つぐな》っていかなければいけないと私は考えています。罰を科するのであれば、プラトンの言い方を使うと、教育刑でなければなりません。死刑は更生の機会を奪います。何も解決はしないのです。

他者を仲間と見なせるか

ここで話を戻しましょう。他者を仲間と見ることは難しいのですが、そう思えると人生は変わります。

殺人を犯した人も、私たちの仲間と見なす——これが難しいことはわかっています。例えば、死刑に反対する人が家族を殺されたとして、それでも死刑に反対だといえるのかどうか。

二〇〇一年にアメリカで起こった9・11同時多発テロでは、たくさんの人が亡くなられました。しかし、犠牲になった家族が皆、その後の戦争に賛成したわけではありません。愛していた人はたしかにテロで殺されました。でも、それを口実に戦争をしてほしくはないと願った人も多くいました。ですから、遺族感情を持ち出して死刑や戦争が必要だという人は多いのですが、誰もが犯罪者を憎むかというとそうではないのです。

アドラーは共同体感覚の一つの定義として、こういうことをいっています。「他人の目で見て、他人の耳で聞き、他人の心で感じる」(『個人心理学講義』)。自分の目ではなくて、他人の目で見るなどということは実際にはできません。自分の目でしか見ることはできない。

では、「他人の目で見る」とはいったいどういうことなのか。「もしも自分だったら」と思うと、たいてい間違います。相手の目で見るとは、「もしも自分が相手の立場に置かれたらどのように感じ、どんなことをするのか」ということを相手目線で考えるということです。それをアドラーは「共感」とか「同一視」という言葉で表現しています。

あの三十人以上の人を殺した犯人の立場にいったん自分の身を置いてみる。もしかしたら、自分でも同じことをするかもしれないと思わないと、このような問題を解決するための糸口を見出すことはできません。自分も同じように小説を書いて、応募して落とされたらがっかりするでしょう。自信があったらなおさらです。

そんな時に、自分を認めてくれなかった人を逆恨《さかうら》みしてしまう。危害を加えるまではしないけれども、そういうことがあるかもしれないと思うような共感能力を、アドラーは「共同体感覚」という言葉で表しているのです。

もちろん、京都アニメーション放火事件の犯人を許すというのではありません。ただ、あの事件を考える時、いったん犯人の目線で物事を考えない限り、同様の事件を防ぐことはできないと思うのです。

仏教に「分別《ふんべつ》」という言葉があります。自分と他者を「分別」してはいけないと考えます。ある親が、期待していた子どもが仕事を辞めて、それからずっと引きこもって、自分に虐待を加えるようになった時に、「私はこの子が私の子だとはとても思えない」といって嘆いたという話を聞いたことがあります。

でも、親の理想と違おうが、病気であろうが、どんな状態であっても「この子どもはとにかく私の子どもだ」と受け入れるしかありません。善悪を超えて相手をそのまま受け入れる心が大事です。仏教では、「大悲《だいひ》」という言葉を使います。そして、そのように善悪を越えて、相手をそのまま受け入れる心が働いている場のことを、仏教では「浄土《じょうど》」といいます。

ですから浄土というのは、死んでからの世界ではありません。とうてい受け入れがたい人がいても、受け入れようと思えることです。それは、アドラーの、人は皆仲間であるという考え方に通じると思います。

ありのままの自分が貢献できる

「貢献」についての話を続けます。他者に貢献をしようと思う、あるいは他者に貢献していると思えることで自分に価値があると意識できる。また、他者に貢献するためには、他者を仲間だと思えないといけない、というところまで話しました。この「貢献」の意味が問題なわけです。

もちろん、行為で他者に貢献できる人はそうすればいいでしょう。でも、行為で他者に貢献しようと思うと、たちまちつまずく人が出てくるかもしれません。私は病気で倒れた時はまったく身動きが取れませんでしたが、その後元気になり、退院後はたくさん本を書いてきました。本を書くという行為の次元で貢献できるようになりましたが、病後ずっと何もできなくなっていたとしても、それで私の価値がなくなったわけではありません。誰もが「存在」「生きていること」で貢献できるのです。

人はただ生きていることで、他者に貢献し得るということを知ってほしい。今の世の中は生産性で価値を測る時代ですから、何かができることに価値を認めます。

現代社会では、「費用対効果」、費用に見合った効果が得られないといけないと考える人は多いです。以前、私は奈良女子大学でギリシア語を教えていましたが、学生が少ないという理由で突然閉講になりました。十三年も教えていたのにです。ギリシア語の授業に人がたくさんくるはずがありません。この授業を受ける学生は本当に少なくて、多い年で五人、少ない年は二人で、一人の年もありました。

学問というのは、すぐには役に立たないものです。しかし、本当に学問は役に立たないかといえば役に立ちます。ただし、その意味は実用的であるということではありません。

今は学問のあり方を政治家が決める時代です。役に立たない、お金にならない学問は大学で教えなくてもいいと考える。このような時代にあって、行為ではなく、生きること、生きていることに価値があると思えるのにはかなりの勇気がいります。

しかし、そのことを私たちがやはり自分でも感じられないと、他者に対する目も非常に厳しくなります。子どもたちが学校に行かなくなると、親はパニックになる。でも、とにもかくにも家にいるわけですから、そのことを本当にありがたいことだと思ってほしいのです。

延命治療を受けたくないという人がいます。日本では法律的に許されないわけですが、安楽死したいといわれる方もいます。なぜそう思うかというと、家族に迷惑がかかるからです。

でも、人は生きていることでそのまま価値があるとわかれば、自分が生きていることが家族にとって喜びであり、そのことで貢献していると思っていけない理由はないでしょう。

パーソン論

この回の最後にもう一つ話をしましょう。大学で生命倫理を教えていたことがあります。皆さんは、「パーソン論」をご存じでしょうか。パーソンというのは「人格」です。人はどんな条件があれば、人格と呼べるのか。こういうことについてなぜ議論しないといけないかというと、臓器移植、脳死の問題、人工妊娠中絶の問題があるからです。脳死状態の人は「人」なのか、胎児はいつから「人」かそうでないのかという判断をしなければなりません。要するに、「人」はどんな条件だったら、「人」なのかということです。

いろいろな考え方があります。一つの考え方としては、人であるためには「何かがほしい」「何かがしたい」という欲求の意識がないといけないといいます。

例えば、そういう欲求の意識があり、その欲求の意識の主体としての自己意識がないといけません。自分が自分であるということが意識できる。これが、「人」がパーソンと呼ばれるための条件だという考え方があります。

でも、そのように考えてしまうと、胎児は自己意識がないので人格とは見なされないことになります。それから重度の精神障害をお持ちの方、重度の認知症の高齢者は人格と見なされないことになります。

また、社会的な意味で、人格を認めようという考え方もあります。この意味で人格と認められるためには、最小限の相互作用で参加できなければなりません。私の孫は、片言ではありますが意思疎通ができます。これは最小限の相互作用に参加できていることになります。そうすると、精神障害のある方や認知症の方は人格とは認められますが、脳死の患者は人格と認めることはできないことになります。

私の理解では、「人」と「もの」というふうに単純に二分法で分けて考えるのは間違いです。例えば、胎児は「人」ではないのか。母親は胎動を感じたら胎児がまだ生物的に「人」と呼ばれる前でも、人が宿っていると思うわけでしょう。もっと前からわかる方もいるかもしれません。

ですから、胎児が生物として人かどうかは関係ありません。生物的には人ではないとしても、母親が自分の胎内に子どもが宿っていると思った時に、その子どもは人なのです。あるいは、脳死の患者さんも、家族にとっては明らかに生きています。医学的に、あるいは生物学的に人でないとしても、脳死患者は「もの」ではありません。

人が人格であるための条件は「ない」と考えればいいのです。最小限の相互作用すらなくても、人はどんな状態でも人であることができます。そのように脳死の状態の人であれ、胎児であれ、そういう人を人たらしめるのは、人と人が結びついているということです。この人はいろんな条件に置かれているかもしれませんが、私がこの人とつながっているという思いがこの人を生かしているのです。

他者との関係の中で、自分が相手を生かしている。相手が生物的に、また医学的に死んでいる人だと見なされても、私がこの人を人格として見なしている時、私とこの人はつながっていると感じられ、その人はずっとその人であり続けるのです。

これは前回の最後に少し話しました。亡くなった人は、知覚的にもはや知ることはできません。目で見ることも触れることも声を聞くこともできない。でも、遠く離れて過ごしていると思えますし、家族と同じように今もまた、その亡くなった人にも自分とのつながりがあって、私がその人を生かしているのだと思っても間違いありません。

ですから、私たちは死んだ人に関していいますと、その人を忘れてはいけないのです。ずっと思い出さなければいけません。死者の立場でいうと、家族がいつまでも自分のことを忘れないで、つらい思いをしていることはおそらく耐えられないと思います。亡くなった人は、もしかしたら忘れていいと伝えたいのかもしれません。

しかし、私たちがもしも亡くなった人を生かし続ける、というとおかしいですが、その方が生きていると思える、実際そのようなつながりの中で相手が生き続けると思えるために、不断ではなくても、時折でも思い出せば、目には見えなくてもずっと自分と相手との関係は続きます。そういう意味で、人は「不死」だと思っています。

私たちも同じように、人から生かされているわけです。この講義の重要テーマである「人は生きていることで価値がある」ということと、今のパーソン論を重ね合わせると、次のようにいえると思います。

「人が人であるためには、何の条件もいらない」

偉大な功績を成し遂げなくても、私たちがこうやって生きていることに価値があるということは、人が人格であるための条件は何もいらないということと重なります。

どんな状態の人であっても、人格であり続けます。たとえそれが死んだ人であっても同じなのです。

［質疑応答］

――私の知人が「もう最近やる気ないわ。もう明日生きていたいと思わない」というので

「そんなことないよ。あなたが生きているだけでいいよ」といったのですが、全然聞いてくれませんでした。ところが、その人が、自分の小説を他人にほめられた途端、機嫌が治ってしまったのです。そういう人は認められたい気持ちが強いのでしょうか。

岸見 かなり強いと思います。アドラーは私と違って優しい人ですから、人から認められたい欲求は「ある程度は誰でもある」といっています。

あなたが認めても全然聞かないのに、権威のある人がいうと、ころっと考えを変えてしまうというのは悔しい気がしますが、それくらい承認欲求が強い人なのです。そういう人たちの問題は、今日の講義の中でもいいましたが、その時々で他の人を「仲間」だと思い、また「敵」だと思ってしまうことです。

——私は「敵」に思われたかと思いました。

岸見 その人がそのように思われている以上、さしあたりできることはありません。でも、たまたま認められたからといって、いつまでもその成功が続くはずはありません。次の作品が認められないという時に、もしもまだその人と友人として付き合っていくおつもりがあれば、どんなことがあってもその人の仲間であろうという決心をしていいと思います。

今はあなたの言葉に耳を傾けられなくても、また戻ってこられる時があると思います。

その人と「仲間」になりたいのであれば、どんな時にでも「私はあなたの仲間だ」と思っていようと決心するしかありません。

――先ほど、他人の心で感じる「共感」、あるいは「共同体感覚」というお話がありましたが、一方で「課題の分離」の話をされることがありますね。その二つの関係性、あるいはそれを両立する方法をお聞きしたいと思います。

岸見 他の人がどう感じ、どう思っているかということは、相手の課題であって基本的に私の課題ではありません。これが「課題の分離」です。課題の分離がなぜ大事かというと、基本的には相手の感じていることや思っていることは、私には理解できないかもしれないというところから出発するしかないからです。

ですから、自分の理解、自分の感じ方とはずいぶん違うかもしれないということを認めた上で、もしも必要があれば相手をよりよく理解する努力をしていいのです。親子なら特にそうでしょう。子どもがいっていることが全然わからないではすまない。「あなたはそのように考えるのね」とまずはいうしかありません。親や子どもの感じ方、考え方をもっと深く知りたいと思っていけない理由はありません。

多くの親は子どものことをわからないとは思っていないでしょう。「あの子のことは親である私が誰よりもわかっている」という親は多いです。もしも本当に親が子どものことをすべてわかるのであれば、子どもは問題行動を起こしません。わからないから、子どもが問題行動を起こすのです。

ですから、「課題の分離」というのは、まずわからないところから始めようという意味です。その上で、どうしたらお互いわかり合えるかということを、手探りで相手と協力作業をする中で一致点を見出し、理解に近づいていく。それが「共感」です。その時に「私だったら」と考えると相手を理解することはできないので、自分には理解し難《にく》くても、相手の立場に身を置くという形で、協力作業をしていくのです。

わからないと思っているほうが絶対安全です。わかったと思ったらそこで終わってしまうからです。他の人にいわれたら嫌でしょう。「私はあなたのことを誰よりもわかっている」といわれたら、「そんなことはない」といいたくなります。自分でも自分のことをわからないかもしれません。でも、わかり合えないままでいいのかというとそうではないので、やはり必要に応じてきちんと妥協点を見つけていくしかないと思います。

――私は、「能」について素人なのですが、あの世とこの世のつながりが舞台の中で演じられているという話を聞きました。その時に思い出したのが、先生のこれまでの「死」についてのお話です。亡くなったお母様のお話を喩えにされたと思うのですが、先生がお母様のことを思っていることでその人を生かすというのは、私からすると東洋的なアイデアだなと思いました。

西洋の考えは、もっと生と死というものを分断し、人は亡くなったら消えていくものであるのに対して、日本の場合は輪廻転生《りんねてんしょう》など、死と生きている世界がつながっているという考え方があるのかなと思っていたので、そのあたりが面白いというか疑問に思いました。

岸見　ギリシアではこうだと一括りに話せないのですが、ギリシアでも魂は不死ではないという考え方が、非常に強力な思想でした。

ソクラテスが、獄中で魂の不死について取り巻きの人たちと激論します。ソクラテスは粘り強く魂の不死を論証し、議論が終わったかに見えた時、なお納得していない、でももうすぐ死んでいくソクラテスに「魂は不死ではないのではないか」と反論するのをためらっている人に、疑問に思っていることを話すように促すのです。このように魂の不死という考え方は、ギリシアでは必ずしも一般的ではなかったかもしれません。

ところが、ギリシアの壺絵には、死者とその人を見守っている家族が描かれてるものがあります。なぜ死者だとわかるのかといえば、あらぬ方向を見ていて、対面していないからです。こういう絵が描かれているということは、今の話とは反対に、死者は黄泉《よみ》の国のような別の場所にいるのではなくて、生者と同じこの場所にいるという感覚を多くのギリシア人が共有していたのかもしれません。そういう感じ方、考え方のほうが、わかりやすいでしょう。

私は、母が亡くなってからしばらく、母の呼吸の音が聞こえました。母を看病していた時、私は病院に一週間ずっと通いつづけ、週末だけは自宅に帰っていました。ずっと一緒にいたら、状態が悪くなっても共に闘っている感じがするので全然怖くないのですが、月曜日の早朝に病院に戻ると、何か私がいない間に大変なことが起こっているのではないかと思って怖かった。それでも、母が非常に荒い激しい呼吸をしていると、それを聞いた時には「あ、生きていてよかったな」と思いました。

その母の呼吸がずっと耳に残っていたからかもしれません。もし合理的に説明するとしたらです。母が亡くなってからも、私と妻二人しかいないのに、私のものでも妻のものでもない、誰か別の人の呼吸音がずっと聞こえました。それは幻聴だと精神科医にはいわれるかもしれませんが、私はその時に明らかに母を感じていたのです。そういう意味で、死者と生者は別世界ではなくて、わりと近くに生きているのではないか。ひょっとしたら、能の世界では、そういうものを描こうとしているのかもしれません。そのように思えるとずいぶん違ってきます。

死者は私たちの身近にいると思います。でも、一方で葬式は、ある意味で生者と死者を分ける儀式でしょう。

葬式の時に亡くなった人が使っていたお茶碗を割ったりします。あるいは、棺桶《かんおけ》に釘を打ちます。あれは戻ってくるなという意味なのです。そう考えると酷《こく》なのですが、そういうことも他方にはあります。人は二回死ぬというのは、まさにそうなのですが、死者は忘れられることをどこか望んでいることがあるかもしれません。

重松清の小説に癌《がん》で逝《い》った妻の話があります（『その日のまえに』）。彼女は自分が死んだら夫に渡してほしいと手紙を看護師に託します。夫は彼女の死後、看護師からその手紙を受け取りました。そこには、こう書いてありました。

「忘れてもいいよ」

生きている人は、新しい人生を生きていかなければいけません。残された者は、努めて思い出します。ですが、忘れることは決して薄情なことではありません。むしろ、そのように思わないと生きていくことは難しいです。前のように、死んだ人のことをいつも思い出さなくなることは健全だと思います。

でも、思い出す時は、思い出すことを止めてはいけません。悲しい時は悲しむということをしていると、悲しみから脱却できます。

私は、母が亡くなってから十年間、ずっと母の夢を見ていました。その母が夢の中に出てくるのですが、明らかに死者なのです。ギリシアの壺絵と一緒で、あらぬほうを見ています。ですから、母は生きていないことがわかります。そういう夢を十年見続けましたが、やっと十年経ってから見なくなりました。そのように死者の夢を見る時は、死者とやり残したことがまだあるということです。そういう時期は必ずあります。

人間というのは長い期間生きているわけですが、残された者はその最後の死にとらわれてしまうことが多いです。しかし、死は一つのエピソードですから、そこにとらわれてしまうと亡くなった人の人生の全貌を捉えることはできません。

親の介護をされた方は誰しもが、何かもっとできることがあったのではないかという後悔の念を持つといっていいでしょう。特に自死された方の家族は悲しまれます。しかし、それは最後の死のあり方だけであって、人生のエピソードは他にも多々あります。楽しかったことも多々あるので、そちらのほうに目を向けていくと、やがて亡くなった人のことを思い出しても、涙は出ないで笑いが出る。そのような日がきっときます。

親しい人との別れが人生の中にたびたびあっては困りますけど、経験しないわけにはいきません。そういうことを仏教では生老病死《しょうろうびょうし》といいます。生きていくことは苦だというのです。しかし、生きていくことは苦ですが、決して不幸ではありません。

第4講 老いと病から学ぶこと

人生の行く手を遮られた時

今日は老いと病気がテーマになりますが、先に怪我《けが》の話から始めます。

私は中学二年生の時に交通事故に遭いました。バイクと正面衝突して、すぐに救急車で病院に搬送されました。意識不明の重体ではなく動いていたようですが、事故後しばらくの記憶がありません。気がついた時は、看護師さんに「痛い！　放せ！」と暴れていました。右手と骨盤を骨折、全治三か月と診断されましたが、結果的には十日で退院しました。もちろん、骨折がすぐに治るはずもなく、ずっとギプスをしていました。

幸い、死なずにすみましたが、なぜあの時死なずに生きられたのかということをしばらくずっと考えていました。そして、その後の人生は余生だと思うようになりました。

事故に遭ったことはもちろん怖かったですが、とりわけ怖かったのは、私の人生の中で、自分が何をしていたかを知らない時間があったということです。自分の行動に責任が取れないことがもっとも恐ろしい。そんなことがあって、中学生になるといよいよいろいろなことについて考え始めました。

若い人は当然明日という日がくると思っているでしょうが、交通事故に遭ったり、あるいは、怪我でなくても病気になった時に、それまで当然のようにくるであろうと思っていた明日という日がこないかもしれないことに思い至ります。明日という日の自明性が崩れてしまう。

歳を重ねていくと、今年見る桜は最後かもしれないと、そういうことを思います。このように桜を愛《め》でて見て、「いいな」と思っているけれど、ひょっとしたらその花見が来年はかなわないかもしれない。そういうことを思わせるのが老いであったり、病気であったり、人生における大きな出来事です。

人生の行く手を遮るような出来事に直面した時に、いったいどんなふうに考えていけばいいのかという話をします。老いも病気も、あまりいい意味では使われていません。肯定的に捉えることは非常に難しいですが、必ず否定的な見方しかしてはいけないのかというと、そうでもないだろうと思っています。

若い人は老いについてイメージすることは難しいかもしれません。でも、たとえ若くても病気になると、いわば急激な老化を体験することになります。身体を動かせない、これも一種の老化です。もちろん、若い人は病気が治れば、また元の若い人に戻ってしまうので、高齢の方ほど切実さはないかもしれませんが、想像を働かせて付いてきてもらえればと思います。

老いという現実

老いを自分自身の体験として理解するのは、人生の後半です。若い時に老いという現実にどうやって触れるかというと、家族が次第に年老いていくのを見ることによってです。

私の場合は、祖母が、脳梗塞を患い寝たきりになり、部屋から出てこなくなりました。元気だった時の祖母にはよくしてもらったのに、寝たきりになってからは、祖母の部屋に足を踏み入れるのが怖くて、一度も踏み入れませんでした。ずいぶんひどい話だと思います。私の母が介護をしていましたが、大変だったろうと今はわかります。病気になった祖母が、元気だった頃の祖母でなくなった事実を受け入れるのに私はかなり時間がかかりました。

父が老いることにもショックを受けました。父はいつの頃からか、自分の身体のこと、病気のことを電話で切々と訴えてくるようになりました。声に力がなく、元気がなかった。ところが、私が心筋梗塞で倒れた時のことです。自分がしっかりしなければと思ったのでしょうか、突然、十歳か二十歳ほど若返ったのではないかと思うほど元気になりました。

親は「この子はもう大丈夫なんだ」と思ってしまうと急激に老いていきます。反対に、この子は私がいないと駄目だと思ったら、元気になるのです。

親の老いと自身の老い

しかし、その後、私は自分の病気のことで精一杯で父どころではなくなってしまい、父と連絡を取ることが少なくなっていきました。当時、父は一人暮らしでしたが、若々しさを取り戻したことできっと元気にしているだろうと思っていたら、実はそうではなかった。知らない間に、認知症がどんどん進行して、一人では暮らせない状態になっていたのです。

久しぶりに目にした父の髪の毛は真っ白になっていました。あんなに元気だった父の面影《おもかげ》はほとんどなく、父が老いたという現実を目の当たりにして、もっと早く父のところに行くべきだったと後悔しきりでした。

そのように家族の老いを目の当《ま》たりにすることで、自分自身がやがてどうなるかを想像できます。おそらく、私だけでなく皆さんも親の老いに気づいた時には多かれ少なかれショックを受けるでしょう。それは、老いについてあまりよいイメージを持っていなかったということです。

斎藤茂吉《もきち》という歌人はご存知ですか。その息子が北杜夫《もりお》です。北は、小説家を目指していて文学志望だったのですが、もっとも影響を受けたのは、父親で歌人の斎藤茂吉でした。

北が文学を志すまでは、父親は「ひたすら怕《こわ》く煙たい存在」だったのですが、「出し抜けに尊敬する別個の歌人に変貌した」といっています（『青年茂吉』）。

彼は父親の短歌を真似て、自分で短歌を作り始めましたが一方で、父親に射す老いの影を見逃しませんでした。

北は父親が散歩をする時にいつも持ち歩いていた手帳をこっそり盗み読んでいました。北はそこに書いてある短歌を読んで、まだ旺盛な創作欲があることがわかれば安堵し、逆に拙《つたな》い歌を見つけると父親の衰えに失望しました。

このように、親が老いていくのを目の当たりにすると、老いることについて否定的なイメージを抱くことになるのです。

では、自分自身が老いていくと何が起こるかというと、まず身体が衰えていきます。小さな活字が読めなくなったり、歯が弱って、抜けたりしてしまいます。また、耳が聞こえにくくなる。女性の老いについて、アドラーは、若さと美にしか自分の価値を認めてこなかった女性は、更年期になると「人目を引く仕方で苦しみ、またしばしば自分に不正がなされたかのように、敵意のこもった防衛態度をとって不機嫌になり、さらにはこの不機嫌からうつ病になることもある」といっています（『生きる意味を求めて』）。ただ苦しむのではなく、「人目を引く仕方で」苦しむのです。

仕事から帰宅すると、妻が必ず鏡を見ながら「私きれい？」と寝るまでずっと言い続けるので困っているという男性を知っています。彼女は「人目を引く仕方で」苦しんでいたのです。

もちろん、衰えるのは身体だけではありません。物覚えが悪くなったと訴える人は多いです。顔は思い浮かぶのに名前が出てこない。私は、ダイニングから書斎に何か本を取りに行ったはずなのに、何を取りに行ったのか忘れてしまうことがよくあります。こんなことが度重なっていくと老いを実感しないわけにはいきません。

もっとも、若い時のような記憶力がなくなったというのは本当ではないかもしれません。若い時と同じように真剣に学べば、若い時と変わらず身につくはずなのです。それなのに努力もしないで、記憶力が衰えたといっているのです。

価値の低下

老いることや病気になることが、身体的なこと、あるいは精神的な機能の劣化や退化だけなら、大きな問題ではありません。もっとも大きな問題は何かというと、老いや病気のために自分の価値が低下したと思うことです。

アドラーは、身体が弱かったり、歳を重ねるに伴って物忘れがひどくなり、さらにそのことで生活に支障をきたすようになると、自分を過小評価するようになり、「劣等感」を持つようになるといいます。

劣等感には健全なものとそうでないものがあります。アドラーは、劣等感は普遍的なものだといっています。つまり、誰にでもある、劣等感を持たない人はいないということです。

立ち上がれない、歩けない子どもが立ち上がりたい、歩きたいと思って一生懸命努力をする。自分が歩けない状態であると自分が劣っていると感じます。しかし、そういう子どもが立ち上がろう、起き上がろうとして努力しようと思わせる劣等感は健全です。

一方で、他の人と競争すると、もはや健全な劣等感ではありません。親は、自分の子どもよりも遅く生まれた子どもが立ち上がって歩き始めているのを見ると、自分の子どもが他の子どもよりも劣っていると感じるかもしれません。それで、子どもに一日でも早く歩かせようと発破《はっぱ》をかけます。子どもがもしも他者との関係の中で自分が劣っていると感じ、他者に勝とうとするようなことがあれば、それは健全な劣等感とはいえないでしょう。

劣等感と対になって使われる言葉が「優越性の追求」です。優れていようと努めること。アドラーは、劣等感とセットにして、この言葉を使っています。

こちらも健全な優越性の追求と、そうでない優越性の追求があります。人間が無力の状態からそうでない状態に移行する。生まれた時は不断の援助がなかったら、子どもは片時も生きていけません。そういう状態から脱しようと思うような優越性の追求は健全なものだといっていいでしょう。

またアドラーは、優越性の追求が、何かをしようと思うことの動機づけになるといっています。「すべての人の動機づけ、われわれがわれわれの文化へなすあらゆる貢献の源泉は、優越性の追求である」という言い方をしています（『人生の意味の心理学』）。ですから、今よりは住みやすい社会にしようと考えた天才たちが、いろんなものを発明したり、いろんな学問を発展させてきました。そういう優越性の追求というものがあります。

問題は、今のような説明に続いてアドラーが、「人間の生活の全体は、この活動の線に沿って、即《すなわ》ち、下から上へ、マイナスからプラスへ、敗北から勝利へと進行する」といっていることです。さらに、「生きることは進化することである」ともいっています。

子どもが歩けない状態から立ち上がり、歩いていく努力をするというのは「下から上へ、マイナスからプラスへ」というイメージに合致しているかもしれません。

しかし、「敗北から勝利へと進行する」というのはどうでしょう。子どもが立ち上がれない状態は、敗北なのでしょうか。立ち上がったら、勝利を収めることになるのでしょうか。これは間違いだと私は思います。

老いと病気は退化ではない

さらに問題は、老いや病気になっていろいろなことができなくなることは、マイナスであり敗北であるのかということです。そうではないでしょう。

あるいは、こういう上昇をイメージする言葉を使っていると、老いに限らず、若い人でも病気になって突然いろいろなことができなくなることが、下やマイナスということになりますが、それも違うと私は思います。

アドラーの優越性の追求という考えには、いくつか問題があります。治療すれば治る病気もありますが、回復の見込みがない病気もあります。そのような病気になった時、治療やリハビリがまったく無意味なのかどうかは検討しないといけません。

このようなアドラーの考え方に対しては、当然批判といいますか、訂正する試みが必要です。アドラーはウィーンで活動していた人ですが、後にニューヨークに活動の拠点を移します。そのアドラーのウィーンでの仕事を引き継いだリディア・ジッハーが、今いったような問題点をきちんと指摘しています。

「優越性の追求」という言葉を使うと、必ず上下がイメージされます。それは喩えてみれば、梯子《はしご》に昇る人が、どんどん上に向かって昇るイメージです。上に昇るためには、上にいる人を引き摺《ず》り下ろさないといけない。それが今の競争社会です。誰もいないのであればいいのですが、上には人がいます。

先に見たように、アドラーは「人生は進化である」といっていますが、ジッハーはこの進化は上に向かっての動きではなく、前に向かっての動きであり、ここに優劣はないと考えています。

上下ではなくて、ある人は後ろを、ある人は前を歩いている。平面で見れば優劣はなく、前のほうを歩いている人がいるか後ろのほうを歩いている人がいるか、それだけの違いである。速く歩ける人がいる一方で、ゆっくりしか歩けない人もいる。ただそれは違いではあっても優劣ではない、とジッハーは考えました。

このイメージはどうでしょうか。前を歩いている人と後ろを歩いている人。これでも、私はまだ優劣のイメージを拭い去ることはできません。やはり前に速く歩いている人のほうが優れていると、どうしても思ってしまいます。

では、どうしたらいいのでしょうか。「進化」と考えるから問題になるのです。「進化」といったら、病気や老いは「退化」でしかありません。ジッハーのイメージでいっても、後退するということになってしまいます。

「退化」ではなく「変化」

以上の問題点を踏まえて、どのように病気や老いを捉えればいいのか。「進化」や「退化」ではなく、「変化」と捉えてはどうか。若さと老い、健康と病気に優劣を認めなければいい。その時々の状態にいると考えるだけで、優劣を考えなければいいのです。そうすれば、老いや病気のためにいろいろなことが思うようにできなくなっても、そのことを自分のあるがままとして受け入れることができると私は考えています。

この話の流れでいうと、理想を自分の中から追い出すことも重要です。かつてこんなこともあんなこともできたという理想の自分から引き算して現実を見るのをやめてみるのです。

ハンセン病の患者さんで、北條民雄《ほうじょうたみお》という作家がいました。今ではハンセン病は治る病気ですが、昔は治癒が困難で、それと共に、罹《かか》った人は非常に差別され、療養所も隔離されていました。そこでずっと療養を続けていた方です。

その北條に『いのちの初夜』という短編小説集があるのですが、その中の「眼帯記」に「生への愛情」だけを見てきて、「生命そのものの絶対的なありがたさを知った」と書いてあります。

病気になって初めて健康のありがたさがわかるといわれますが、それは、健康を再び取り戻せることが前提です。当時、ハンセン病は治癒しない病気とされていたことに注目してください。北條はここで、回復の可能性とは関係なく、生命そのものの絶対的なありがたさを語っているのです。

私たちに求められているのは、病気であろうとなかろうと、生きていることがありがたいと思えることです。老いも同じです。老いは不可逆的なもので、この先若くなることはありません。しかし、回復しなければ、若くなれなければ絶望するしかないのかといえば、そうではないはずです。

健康になるために生きているのではない

もちろん、健康であることがいけないわけではありません。健康を目指せるのであれば、それはもちろん求めていいと思います。ただ何のために健康であることを求めるかを考えないといけません。健康とは何か。それは、いわば「道具」です。その道具がよりよい状態であるほうが、そうでないよりも望ましいかもしれない。ただどうして健康であることを願っているのか、ということもきちんと考えないといけないと思うのです。

二〇一九年、台北で高齢者問題について講演をしました。登壇したのは私だけではなく、もう一人おられました。その方は元大学教授で、高齢者問題の専門家でした。その先生は、健康であるように努めなければならないと力説されました。これは間違っているわけではありません。しかし、健康であるように努めなければいけないのは、医療資源に限りがあるからだといわれたことには同意できませんでした。

たしかに、医療資源に限りはあります。でも、私たちは国家のために病気になっていけないわけではありません。どんな問題を考える時にも自分を棚上げにし、第三者的に見てはいけないと思います。

私たちはいったい何のために健康になろうとしているのか。何を目的に健康になろうとしているのかを考えなければなりません。健康になること自体が目的ではありません。薬を飲まれている方は多いと思います。私も心筋梗塞になってから毎日薬を飲んでいます。飲まなかったら、すぐにではないでしょうが、また心筋梗塞を起こすかもしれない。

でも、薬を飲むために生きているわけではありません。薬を飲んで健康になるために生きているのでもありません。私たちは幸福になるために生きているのです。だから、健康になる努力が幸福につながるのでなければ、意味がないのです。

目的は幸福であること

健康であることを目指していけないわけではありませんが、健康であるのは何のためかという目標を見失ってしまうと、おかしなことになってしまいます。健康になれないのであれば、私たちは幸福になれないのかというとそうではありません。健康であることは幸福であるため、幸福に生きるための一つの手段でしかないのです。ですから、幸福になるために健康でなければならないわけではない。

アドラーやプラトンは、原因論に立ちません。人生の行く手を妨げる病気や老い、怪我というものが不幸の原因ではありません。同じことを経験しても、それをどう受け止めるかは人によって異なります。

何かの出来事を経験するから、幸福になるわけでも不幸になるわけでもありません。病気や怪我をする、あるいは老いることで必ず不幸になると考えないのが、目的論的に考えるということです。しかも、その目的とは幸福になることだということをこれまで言い続けてきました。

目的というと、未来にあると考えてしまいがちです。アドラー自身も「人生は進化である」「目標に向かっての動き」などという言い方をしているところからすると、目標は遠い未来にあるように考えていたかもしれません。

しかし、思い出してください。三木清は「幸福は存在である」といっていました。「今ここで人は幸福である」という考え方です。ですから、何かを達成しなければ幸福になれないのではないのです。幸福であることが目的である。幸福は遠い未来にあるわけではなくて、今ここにあるのです。

老いても病気になっても価値はなくならない

次に「未来」について考えてみましょう。未来は、実はありません。それは今回の講義の最初のほうでもいいましたが、明日の自明性はないのです。

何となく先の人生をイメージしてしまいますが、先の人生はないという現実に直面します。ですから、未来は端的にありません。未だ来ていないのではなく、ただ「ない」のです。そういう未来に希望を求めるのも間違いだろうと思いますし、未来になって初めて幸福になるわけではなくて、今ここでの幸福を求めていかないといけません。

ですから、病気になろうと健康を失おうと、身体機能だけではなくて精神機能が衰えたからといって、そのことが私たちの幸福をいささかも損なうことはないのです。

『嫌われる勇気』をお読みいただいた方はご存じかと思いますが、哲人が「他者貢献」について論じる場面で「導きの星」の話が出てきます。これは北極星のことです。旅人はこの星さえ見失わなければ、決して道に迷うことがない。あれは文中の「哲人」の独創ではなく、アドラーが実際に使っている言葉です（『生きる意味を求めて』）。

誤解されているかもしれませんが、あの本の中では、哲人だけが哲学、あるいはアドラー心理学のことを発言しているわけではありません。ここでは、対話者である青年がこの「導きの星」について、「上空に輝いている」といいます。それは先ではなく、今ここでの「他者貢献」です。自分が今こうして生きていることが他者に貢献していると思えること、これが私たちの人生の導きの星、つまりは人生の目的であり、それがわかれば幸福であることができます。

そういう目的、目標は未来にあるわけではないので、健康を失っているから、あるいは病気が決して回復しないからといって幸福になれないわけではありません。もっというと、この状態のままで他者貢献できるということに気づけば幸福になれます。

アドラーはこのようなことをいっています。「何が与えられているかではなく、与えられたものをどう使うかが大切である」(『人はなぜ神経症になるのか』)。とにかく歳を重ねていろいろなことができなければ、そのできないままの自分を受け入れ、その状態でできることをしていくしかありません。

もちろん、何もできなくなったからといって、自分の価値がなくなるわけではありません。でも諦《あきら》めないというのも大事な生き方だと思います。私の母は脳梗塞で倒れ、いろいろなことができなくなりました。予後がよかったので、きっとすぐに退院できるだろうと思っていたところ、ひと月ほどしたらまた発作を起こし、それからはどんどん悪くなって、とうとう意識がなくなってしまいました。

ただ、まだ意識があった時に、母は「家からドイツ語のテキストを持ってきてほしい」といいました。ドイツ語のテキストというのは、私が大学生の時に母にドイツ語を教えていた際に使っていたものです。「もう一度勉強したいから持ってきてほしい」といったのです。ですから、アルファベットからもう一度一緒に勉強しました。

やがて意識のレベルが低下していって、根気がなくなってくると、今度は、ドストエフスキーの『カラマーゾフの兄弟』を読んでほしいと私に頼みました。いつかの夏、私が夢中で読んでいたのを覚えていたのです。そこで、母に読み聞かせをしました。しかし、やがてうとうとし始めて、聞けなくなったので音読は諦めました。

母は病に倒れて間もない頃、身体を動かせないので、手鏡で外の景色を一生懸命見ようとしていました。病床でも生きる意欲を失わなかった母を見て、家族は勇気づけられました。その時、人間はどんな状態でも自由でいられることを私は学びました。

貢献感を持てる貢献

病気になっても価値がなくなるわけではないという話をしてきましたが、できることがあればそれをして、生きることを諦めないという、人生に対する態度を他者に示すことが、他者にとって勇気づけになるだろうと思っています。

少し先取りして話しますが、病気になったからといって、他者に迷惑をかけることになると思わないのが重要です。この話は別の文脈でしたと思いますが、今は本当に病気について、あるいは老いについて否定的なイメージがつきまとっているので、延命治療などしてほしくないという方が多いです。その理由というのが、信仰上の理由ではなくて、激痛があるなど、他者や家族に迷惑をかけるからというものです。

でも、病気になって他者に迷惑をかけるかというと、そうではないということを知ってください。皆さん自身がそのような立場に置かれることもあると思います。親を介護することになった時に、もしも親にそういうことをいわれたら「いや、そんなことはない」と言い切ってください。

病者は看病や介護をする家族が貢献感を持てる貢献をしているのです。親の世話をすることで貢献感を持てれば、自分に価値があると思えます。自分に価値があると思えたら、勇気を持つことができます。

宮沢賢治は「永訣《えいけつ》の朝」という詩を書いています。賢治は二歳年下の妹であるトシの看病をしていました。そのトシが、みぞれが降った朝に「あめゆじゆとてちてけんじや」、雨と雪を取ってきてほしいと頼むのです。それは「わたくしをいつしやうあかるくするため（私を一生明るくするため）」だったと賢治は詠《うた》っているのです。

彼女は兄に迷惑をかけてきたと思っていたのかもしれません。でも、兄の賢治にとっては、そうやって妹のために貢献できる、妹の喜ぶことをできる、そのことに貢献感を持てたのです。

「身体の声」に耳を傾ける

先に「何が与えられたかではなく、与えられたものをどう使うかが大切である」という話をしました。病気になればそれを自分に与えられたこととして受け止めるしかありませんが、病気にならないよう努めることがいけないわけではありません。

そのためには「身体の声」に耳を傾けることが必要です。身体に異変があることにいち早く気がつくということです。この声を聞くのは必ず遅れます。身体は声をずっと発していますが、私たちは声が聞こえても、無害な解釈にすり替えてしまいます。そうするのは、死にいたる病を告知されることを恐れるからです。そうして、一日延ばしで病院に行くことを遅らせるのですが、その遅れが時に致命的になります。

オランダの病理学者であるヴァン・デン・ベルクが「本当に健康な人間は、傷つきやすい身体を持ち、その傷つきやすさに彼自身気づいている。このことは一種の反応性を作り上げている」といっています（『病床の心理学』早坂泰次郎・上野矗訳）。反応性というのは、responsibilityです。これは普通「責任」と訳されます。responsibilityは、「応答する（response）能力（ability）」です。身体が身体に異変があることを本人に呼びかける。その呼びかけに応えられることをresponsibilityというのです。

身体からの呼びかけに応えて病院に行って重い病気であることを医師から告げられても、それは決して敗北することではありません。それがわかっていれば、わりあい冷静に身体の声に耳を傾けることができると思います。

病気や老いについてはマイナス面ばかりを見てしまうことが多いですが、プラス面もあります。どのように見ることができるかを次に考えてみましょう。

病気になった時、老いた時に人は何を学ぶか

ヴァン・デン・ベルクがこんなことをいっています。

「あらゆることは時間とともに動いていくが、患者は無時間の岸辺に打ち上げられるのだ」

これは、明日という日がくるということが自明ではなくなる、「明日はこないかもしれない」ということです。

この意味で無時間の岸辺に打ち上げられると、人生の見方が変わります。ヴァン・デン・ベルクはさらに次のようにいっています。

「人生を最もひどく誤解しているのは誰だろうか。健康な人たちではないだろうか」

健康な人が見えていないことがあるかもしれません。病床にあって初めて見えることがあるかもしれません。

若くして亡くなった母が見ていたもので、私が見えていなかったものがあるはずだ。それはいったい何なのだろうかと、私自身が病床について何もできなくなった時に、一生懸命考えました。一つは、人生の意味です。この人生で本当に大切なものは何なのかということを考えた。

もう一つが、明日の自明性がないということでした。無時間の岸辺に打ち上げられ明日

という日がこないかもしれない、だったらどう生きていくのか。それを考えさせるのが病気、あるいは老いだと思います。

そして、もう一つあります。それは、対人関係のあり方が変わることです。病気になることでそれまで親しかった人が離れていったり、逆にそれまでそんなに親しいとは思っていなかった人が、実は自分のことを大切に思ってくれているということに気づいたりします。

私が心筋梗塞で倒れる直前に、友人からある大学の教授になったという葉書《はがき》が届きました。私は在野で研究を続けていて、それを自分で選んだはずでした。にもかかわらず、彼に先を越されたと思い、心が少しざわつきました。

そして入院した時に、その葉書のことを思い出し、ベッドで身を起こせるようになったので、彼に「こんな状態で社会復帰ができるまでどのくらいかかるかわからないけれど、今は仕事のことなど考えないで療養するしかありません。忙しそうですが、くれぐれも身体に無理をされませんように」とメールを送りました。

その日の夜、私は夢を見ました。そこに彼が出てきたのです。私は彼に「よかったね。おめでとう」といいました。すると、彼はこういいました。「本当は、君はそんなことをいうつもりはないのだろうね」

しかし、現実の彼は忙しい中で、遠方にいる私の見舞いにきてくれました。彼の就職を素直に喜べなかった私は恥ずかしくなり、彼の顔を見た途端、号泣《ごうきゅう》してしまいました。私は病気になったことで初めて、その友人が自分を大事に思ってくれていることがわかったのです。

最後に、ある看護師さんの言葉を紹介して今回の講義を終わります。

「ただ助かったで終わる人も多いのですけどね。でも、あなたはお若いのですから、もう一度生き直すつもりで頑張りましょう」と彼女は私にいいました。

「回復する」というのは、病気の前と同じ健康な状態に戻れる場合もあれば、元に戻れないこともあります。それでも、病気を契機として、病気になる前には見えていなかったものを見ることができる、それによって「生き直す」ことができるのです。

[質疑応答]

――現状をありのまま受け入れて、必ずしも前に進む必要はなく、存在そのものがありがたいということですが、二つ疑問があります。一つ目は対自分的、二つ目は対他者的です。

対自分的というのは、享楽的になったりとか、悪い意味で怠惰《たいだ》で刹那《せつな》的になってしまうのではないかということです。二つ目の対他者的というのは、生存競争の社会の中で、例えば仕事のレベルでも営業で他者に負けて収入が現実にダウンしてしまう、あるいは国家レベルで見ても戦争に負けて殺されてしまう、そういう現実の問題があります。今の二つの面で、存在そのものがありがたいということをどう受け止めればいいのか教えていただきたいです。

岸見　対自分的にいうと、人生で何もしない時期があってもいいと思うことです。何もしないことを悪だと思わないこと。病気になれば否《いや》が応《おう》でも前に進めませんが、この講義で何度も話してきたように、病気であっても生きているだけで価値があるのですから、今は何も手につかない時期だと思って、何かをしようと思わないことです。

うつ病を患っている方のカウンセリングをよくしました。この病気の時はジェットコースターが急降下していくような恐怖感がありますが、この恐怖から逃れようとしてもがいてしまうと、一番低い地点でジェットコースターは止まってしまいます。反対に、何もしなければ下降するエネルギーがやがて上昇するエネルギーに転じる時がきます。ですから、焦《あせ》らないことが大切です。

具体的にどんな助言をするのかというと、例えば、旅行に出ることを勧めます。でも、そうすると、会社から電話があるかもしれない、それなら、スマートフォンを持っていけばいいではないか、いや、家で受けないと駄目だ。そんなことをいって外に出ていくことをためらっているうちは、なかなかよくなりません。うつ病を患う人は、概して、真面目です。そんな人が今は何もしなくてもいいと思い、旅行に出かけられるようになると、少しずつ回復していきます。

対他者的な面では、ありのままの自分を受け入れるという話をすると、向上心がなくなるのではないかと思う人は多いですが、上司が現状の自分を受け入れてくれていることが部下に伝われば、その部下は次の一歩を踏み出すことができます。

逆に、上司が部下に理想を押しつけるとどうなるか。他の優秀な部下のことを話に出し、「お前はもっと伸びるはずだ」「もっと頑張れば、力を出せるはずだ」などというと、自分でも当然頑張らなければいけないと思っている部下はかえって反発してしまうかもしれません。理想があまりに高いと、とても上司の期待を満たすことはできないと思って努力しなくなるのです。

最近、私は「存在承認」という言葉を使うことがあります。何かをしているからではなくて存在していること、生きていることに価値があるということを、上司が部下に、親が子どもに伝えるということです。仕事の場合は成果を出さなければなりませんが、上司の方は、まず、現状の部下を受け入れることから始めてください。

親子関係でも同じです。親の理想と違おうと、子どもが病気であろうと、問題を起こしていようと、とにかく「あなたが私の子どもであることが嬉しい」、そういうことを言葉で伝えることが大切です。


——先生がいわれる「幸福になるのではなく、幸福である」ということと、ユダヤ人強制収容所の体験を元に『夜と霧』を書いたフランクルがいう「幸福は追うと逃げていく」という言葉が同じように感じられます。「幸福になりたい」と思うのは、今が幸福ではないからだと思います。

ですから、今が幸福であれば何も感じないし、幸福であれば何も追わない。フランクルは、ユダヤ人強制収容所で地獄のようなひどい目にあったかもしれないけれど、自分が幸福であったからこそ、そのようにいったのではないでしょうか。

岸見　フランクルは、人間は本来幸福を求めるものだという考えに反対しています。幸福は目標ではなく、結果にすぎない。幸福は追求するものではない。幸福になろうと思ってしまうと幸福になれないとフランクルはいっています。

私はプラトンや三木清の言葉を引きながら幸福について話をしてきました。私の立場はフランクルとは違います。誰もが幸福でありたいと願っているが、そのために何か特別なことをしなくてもいい。幸福になろうとしなくても、今こうして生きていることが実は幸福である。そのことに気づくことが幸福になることである。そう考えています。

幸福になろうとしている人は、三木の言葉を援用すると、成功をイメージしているように見えます。そうすると、幸福であることを逸してしまうかもしれません。

──宝くじにあたった幸福ではなくて、今生きていることが幸福ということですよね。幸福であるということは、もう幸福ということを感じないことなのではないかなと思いました。

岸見　そうです。幸福でないから幸福であることを求めるというよりは、幸福だから幸福であることを意識しないともいえます。

——ただ存在する、生きているということですね。

岸見　もう一ついうと、幸福は自分が他者に貢献しているということを前提にしています。人の役に立てている、自分が生きていることが、たとえ病気であっても老いていても、そのままで他者の役に立てていると感じられることが幸福です。これは覚醒剤や麻薬、お酒、あるいは宝くじで当選した時のような幸福感や陶酔感とはまったく別のもので、そういう感覚ではありません。この感覚は主観的なものではありません。

ちなみに宝くじが当たった時の幸福感は、本当は幸福感でも幸福でもなくて「幸運」です。宝くじが当たらなくても、つまり幸運でなくても幸福であるのです。

——今日の講義で一番響いたのが、健康であるかどうかの話は、別に幸福であるかどうかには関係なく、「手段」であるというものでした。

岸見　先ほどの話でいえば、健康であるのは幸運になるでしょうね。

——幸運は私の理解では手っ取り早くきてしまった成功と同じです。宝くじなどもそうです。本当は身を粉《こ》にして働かなければお金を得ることはできないのに、大金を瞬時に得てしまう。そうすると、身を持ち崩す人がいるでしょう。

幸運は自分次第でどちらにもなる、つまり幸福にも不幸にもなるのではないでしょうか。

岸見　そういうことですね。ホテルに泊まったらオーシャンビューの素敵な部屋だったというのは幸運でしょう。私の場合、窓を開けたら隣のビルの壁しか見えないということはよくあります。それはアンラッキーかもしれませんが、その日泊まるところがないわけではありません。ちゃんと寝られる場所が確保できたということは幸福です。ですから、外面的なものに依存しない、そういう意味では運とは関係なく幸福というものがあるということです。反対に、どんな幸運に恵まれても自分が不幸だと思う人もいます。

幸運、不運とは関係なしに、人は生きているだけで幸福なのです。なかなかそうは思えないかもしれませんが。

――それは、「今」ということですか。

岸見　はい。「今」、幸福なのです。今日の講義の冒頭で「余生を生きている」という話をしました。中学二年生で余生というのは少し不気味かもしれませんが、その時は本当にそう思ったのです。その次に余生を送っていると思ったのは、五十歳で心筋梗塞で倒れた時です。生還してからは、朝、目が覚めるだけで嬉しかった。

生きていたら苦しいことばかりだという人はいるでしょう。幸福などという浮ついた言葉がいえないくらいにとにかく苦しい、と。でも、生きることは苦しいけれど、それでも生きていることはありがたい。そう思えるのには「勇気」が要ります。

実際、こんなに苦しいのであれば、もう生きていても仕方がないと思ってしまう人はいます。次の講義では「死」の話をしますが、死を恐れている人がいる一方で、死に憧《あこが》れる人もいます。憧れるという言葉は適切ではありませんが、「こんな苦しい人生から早く去りたい」と思って、自らの命を絶つ人がいます。でも、死んではいけないということを伝えたいと思います。

生きることは苦しいけれども、生きることにやはり意味がある。生きたいと思っても生きられないこともあるわけです。ですから、どんなに苦しくても、とにかく最期まで生きようと、特に命を絶とうとしている人に強く訴えたいです。

自分がただ生きていることが幸福だと思えると、他者に対して寛容になります。先ほどの質問にも関係しますが、子どもや部下に向かって「これではダメじゃないか!」といいたくなることがあるでしょう。ですが部下が、本当はこの寒い日にぬくぬくと布団《ふとん》の中で過ごしていたかったかもしれないのに、とにもかくにも出社してきてくれたことはありがたいことだと考えてみて、本当にありがたいと思えたなら、心は穏やかに、つまり、幸福になれるのではないでしょうか。

第5講

死は終わりではない

死について

今日は「死」について話をします。六回の講義の中で、一番重いテーマでしょう。第3回の講義で、人の価値は生きることにあるのであって、生産性、何かができるということに人間の価値を求めてはいけないという話をしました。そして、その回の後半にはパーソン論の話をしました。人が人であるためには、何らの条件もいりません。たとえ意識を失っているような状態であっても、人は人であり続けるということですが、その流れで第4回では、老いと病を見てきました。

今回はその続きです。やがて人が病気になり、意識を失って死んでしまう。では、人は死んだ時、人ではなくなるのかというとそうではない。生者にとって死者は、生前と変わることなく、生き続ける。人は死んでも、人の心の中に生き続ける。これは、比喩ではなく実際にそうだという話をこれまでにもしてきました。

死というものについて、あちらこちら講義の中でしてきたので、今日は少し違うところに重点を置いて話そうと思っています。死者が、生者と同じくらいの実在性をもって感じられるという話をしてきましたが、だからといって、死は生と同じではないというところから今日の話を始めます。

死と生を断絶しない問題

家族の気持ちとしては、家族が亡くなった時に、今も生前と変わらず何らかの形で生き続けてほしいと願わない人はきっといないでしょう。でも、死者はもはや生きてはいないということを、他方でしっかりと見極めないといけないということもあります。

アドラー自身が、精神科医になるよりもっと前、医師になることを志した時に、「死を殺したかった」といっています。「死を世の中からなくしたい」ということです。しかし、当然のことながら、そのようなことができるはずはありません。アドラーの試みは成功しませんでしたが、その試みの過程で「個人心理学」という自ら創始した心理学に出会ったと伝記には書いてあります。

死をなくすことはできないのです。ある仏教説話によれば、キサーゴータミーという女性がいました。彼女はようやく歩き始めたばかりの一人息子を亡くし、悲しみに打ちひしがれていました。釈尊は彼女に、一度も葬儀を出したことのない家から白い芥子《けし》の実をもらってくるようにといいました。

それで、何が起こったか。葬式を一度も出したことのない家はないということを彼女は知ったのです。いろんな家を転々として断られて、ようやく死はどこの家にもあること、人は死ぬものであることを知ったという話です。

ところが、生と死の間に断絶はないと思いたい人もいます。ソクラテスがそういう立場です。死というのはどういうものか、ソクラテスは二つの可能性をあげています。一つはただの眠りではなくて、夢一つ見ない眠りである。死がもしも「夢一つ見ないほど熟睡した夜」のようなものであれば、儲けものだといっています。

もう一つは、死をこの世からあの世へ移り住むことと見る。寝付きが悪く、夢ばかり見ている私はソクラテスがいっていることがわかります。あの世の存在を信じている人も多いでしょう。

死を経験した人は誰もいないので、今経験していることとの類比で、死を考えるしかありませんが、死についてこのように説明するとわかったように思い、死を何か特別なものとは思わなくなる人もいるでしょう。

現代的な話をすると、例えばAI、デジタル技術で亡くなった人を蘇らせる試みがあります。これも死を生と断絶したものだとは思わせなくします。

ディープラーニング（深層学習）によって過去のデータを集めて、亡くなった人の話し方、歌手だったら歌い方を再現するくらいであれば、それほど大きな問題はないかもしれません。でも亡くなった人が、「お久しぶりですね」というような話をするのは問題だと思います。

亡くなった人のことを思い出し、「あの時のあの人の言葉は、こんな意味があったのではないか」「あの時私に語ってくれたあの言葉は、あの時は理解できなかったけれど、きっとこういう意味だったのではないか」というふうに個人レベルで、あれこれと亡くなった人の言葉の意味を考えることであれば問題はないでしょう。

私が結婚する前に、母が亡くなりました。私は、父に、母が亡くなる前から親しくしていた人がいて、母はその人と私が結婚することを望んでいたという話をしました。一周忌まで待ったほうがいいというようなことをいう人もいましたが、母の言葉が功を奏して、私たちは母の死から半年も経たないうちに結婚することができました。

これは事実でしたから、母の言葉を持ち出すことには問題はなかったと思います。でも、そういう事実がないのに、死者を利用する人が現れると危険です。亡くなった教祖様があの世から何かを語る。あるいは、政治家が蘇ってきて何かを語る。実際に死者が語るわけではありません。自分たちに都合のいいことを語らせたい人がいるのです。

亡くなった人に心酔している人、尊敬している人であれば、死んだと思っていた人が蘇ってきて言葉を語ったら、涙を流して喜ぶでしょう。直接、自分が語るより、亡くなった人が語るほうが効果的なのです。

死の受け入れ

死というのは別れです。それがどんなものであっても別れである以上、悲しくないわけはありません。でも、いつか私たちは、別れないといけない。いつか死を受け入れなければならないのです。

しかし、これは容易なことではありません。私は、母が亡くなったのに人前では少しも泣きませんでした。悲しくなかったはずはありません。でも、悲しみを抑え込んでしまったために、私は十年引きずることになりました。早い時期に、人目も憚《はばか》らず号泣できたら、そんなことにはならなかったでしょう。ですから、無理に悲しくなんかないと思い込まないほうがいいです。

キサーゴータミーのような覚悟がやはりいるでしょう。釈尊は、あまり理屈で語られません。悲しみに暮れている人に「死というものはこういうものだ」ということをいくらいったところで納得してもらえない。彼女は、自分の足で家を訪ねて、葬式を出していない家はない、死なない人はいないということを身をもって体験してようやく、子どもの死を受け入れることができたのです。

これ以外にも、いくつか考えていかなければいけないことがあります。死ぬのは怖い。できることなら死にたくない。それでも、自分だけは死なないとどこか思っている人は多いでしょう。

このように思う時、死は怖いものという前提になっています。ですが、死というものが怖いものかそうでもないかは誰にもわかりません。ソクラテスは、死を恐れるということは「知恵がないのにあると思っていること」、つまり「知らないことを知っていると思うこと」だといっています。

ですから、知らないものに恐れるのはおかしいと考えることで、死の恐れから幾分解放されるかもしれません。

もう一つの考え方としては、前回見たように、人生は進化ではなく、変化であるのなら、病気や老いと同様、死もまた変化にしかすぎないと考えることができます。

どうせ死ぬから死んでもいいことにはならない

話を戻すと、私たちは他者の死からしか死を確認することはできません。他者の死は「不在」です。亡くなった人がこの世界からいなくなっても、世界そのものは依然として存続します。それに対して、自分の死は、夢を見ない眠りなのかもしれないし移住なのかもしれませんが、無かもしれません。そうすると、自分がその中に生きていた世界すら消えてしまう。この差は大きいです。

一度死んで蘇った人はいません。臨死体験を語る人がいますが、臨死はあくまでも、英語でいうとnear deathであって、死ではありません。死が何かというのは、本当は誰にもわからないのです。

私は、死というものがあるということを、小学生の時に知り、そのことが哲学を学び始める大きなきっかけになったという話を前にしましたが、その時、いろいろと考えました。

まず、前世や来世というのはあるのだろうかと考えました。今は初めての人生ではない確率が高い、でも、そうだとしても前世のことを覚えていない。ということは、もしも来世に蘇ったとしても、今生きているこの人生のことはまったく覚えていないということになります。今どんなにいろいろなことを経験して、努力して生きてみても、来世においては自分がこの世で経験したことをまったく何も覚えていない。そうすると、この世でしたことの責任を取ることもできないではないか。

子どもの頃のことを親から聞かされることがあるでしょう。ところが、こんなことをいっていたといわれてもまったく覚えていない。そんな時に不安になるのと同じです。今となっては覚えていない言動に責任を取ることはできません。

自分の言動にまったく責任が取れないのは怖いことですが、そうであれば、こうは考えられないか。覚えていないかもしれないけれど、今、この人生で責任を取れる生き方をする。それしかない——そんな結論に暫定《ざんてい》的に到達しました。

また、こんなことも考えました。「どうせ死ぬのだから」と。そういう思いにとらわれた方はおられませんか。一生懸命に勉強しても最後は結局死ぬのだと思ったら、頑張る必要がないといいますか、頑張っても意味がないのではないかと思ってしまう。自暴自棄になる。病気で死ぬのだったら、おいしいものを食べて、楽しく享楽的に生きようと思う人がいてもおかしくはありません。

さらにまた、心臓はやがて止まるのだから今止めればいいことにはならないだろうとも考えました。人の価値は生きていることにあります。それと同じように、私たちにとっては生きることが課題なのです。

他の課題については、何らかの理由を回避する人は多いでしょう。でも、生きることは避けることができない人生の課題なので、生きることがたとえどんなに苦しくても、その苦しい人生を生きるという課題から逃れてはいけない。言葉としてこんなに明確に考えたわけではないでしょうが、このようなことを考えているうちに、いつの間にか小学生の私は、死の恐怖から少し遠ざかったような気がします。その後すべてが腑に落ちたわけではないので、依然として死とは何か考え続けていますが。

死がどのようなものであっても

では、死に対してどうすればいいのか。いきなり今日の結論的な話になりそうですが、近年考えていることは、こういうことです。まず、死はどんなものであっても、たとえ無に帰してしまうのであっても、生き方を変えてはいけないということです。どうせ死ぬのだからといって、自暴自棄になってもいいのか、享楽的に生きてもいいのか、人を殺《あや》めてもいいのか、自分の好き勝手な生き方をしても許されるのかというとそうではないでしょう。

生きている時に、その場その場で態度を変える人がいます。例えば、自分がしていることが誰かによって認められるのであれば頑張る。でも、そうではなかったら頑張らないという人がいます。そのような人は、人間としてあまり成熟しているとはいえません。

ヒルティがこんなことをいっています。

「地上で罰が加えられないことがあるのは、われわれの見解からすれば、むしろ、この世ですべての勘定が精算されるのではなく、必然的になおそのさきの生活があるにちがいない、という推論を正当化するであろう、と」(『眠られぬ夜のために』草間平作・大和邦太郎訳)

家の中で誰よりも早く起き、誰よりも遅く寝るという生活を続けていた母、介護と子育てを終え、いよいよこれから自分の人生を生きようとしていた矢先に病気で倒れた母の人生を思うと、「そのさきの生活」があって、母の努力が報われたらいいのにと思いました。

でも、この世で認められなかった人があの世で報われるか報われないかは関係なしに、正しい行動をする必要があれば、そうすることができる人になりたいと今は思っています。

死を待たない

次に、「死を待たない」ということについて考えてみましょう。どういうことかというと、いずれ人は誰もが例外なく死にます。死以外の他のことは待っていいと思います。待つのは楽しいと思いませんか。なぜ楽しいのか。例えば、人と会う約束をすると、会えないかもしれません。待っていても、それが実現しないということはいくらでもあります。だから、余計に心待ちにして、ワクワクするのです。会えたら、もちろん、嬉しい。

他方、死は誰にも訪れます。とすれば、死は待たなくてもいいのです。

ミルトン・エリクソンがこのようなことをいっています。

「私は、人は生まれたその日が死に始める日だと、心に留めおくべきだと思っています」(『私の声はあなたとともに』シドニー・ローゼン編、中野善行・青木省三訳)

当たり前といえば当たり前、たしかにエリクソンがいっている通りです。人は生まれたら死に始める。

古代ギリシア人の考え方を、第1講で紹介しました。一番の幸福は、生まれてこないことで、次に幸福なのは、生まれてしまったら、できるだけ早く死ねばいいことだ——。

エリクソンは続けてこういっています。

「少数の人は、死ぬことにそれほど多くの時間を費やさず人生を有効に生きているのに比べて、多くの人は死ぬことを長々と待っています」

「それほど多くの時間を費やさず」ということですから、まったく死のことが気にかからないわけではないということですね。

例えば、友だちと会う約束をしていたのに寝坊して、慌ててスマートフォンを持たずに飛び出したような時、相手には連絡がつきません。そんな時、怒っているのではないか、心配しているのではないかと電車の中でどれほどくよくよ悩んでみても、電車は一秒たりとも早く着きません。それなら、窓の外の景色を見て楽しんでもいいのです。行ってみたら相手はいないかもしれませんが、電車の中で考えても仕方ないことです。くよくよ思い悩む人は、死について長い時間を費やす人です。

そのように人生を生きる時も、死を待たないで生きよう。そのように思えれば、ずいぶん違うかもしれません。

とにかく「死を待たない」ということです。待たないためにはどうしたらいいのか。今日という日を、今日という日のためだけに使うしかありません。今日という日が充実したものであれば、明日のことを考えないでしょう。

デートをして別れる時に次に会う約束をしないではすまないのは、その日のデートに満足できなかったからです。満ち足りた時を過ごせた人は次に会う約束をすることすら忘れてしまいます。今日の物足りなさを次に挽回しようと思わない出会いを重ねることができれば、そのような二人の恋愛は成就します。

日々を生き切ることができれば、先のことや死ぬことを考えないで生きられるようになります。死がどのようなものであるかということも気にならなくなるでしょう。今はそんなことを考えています。

「私」が「心」と「身体」を使う

「死」について、三つ目の話をします。プラトンは「魂は不死である」といっています。現代人にはピンとこないかもしれませんが、プラトンだけではなくて当時のギリシア人は、魂が身体という牢獄に閉じ込められていると考えていました。死は、この魂が身体から離れていくことである。図示すると図1のようになります。

『パイドン』の中で、哲学者は生涯、身体に閉じ込められているにもかかわらず、思索する時には魂を身体から離そうと努力してきたとソクラテスに語らせています。つまり、魂だけになろうとしているのだから、裁判にかけられて死刑が確定した時に死を怖れるのはおかしい、魂は不死であるというわけです。

身体は思索の妨げになることがあります。仕事をしようと思っても、お酒を飲むと酔いが回ってきて、眠くなり起きていられないことがあります。

今の時代は、魂を意識ととらえ、この意識は身体である脳が作り出すと考えます（図2）。この身体、あるいは、身体の一つである脳が意識を作り出す。死というのは、脳の活動が停止することであり、脳が停止したら意識も消失すると考えます。意識は、脳にすべて帰されるわけです。

図1

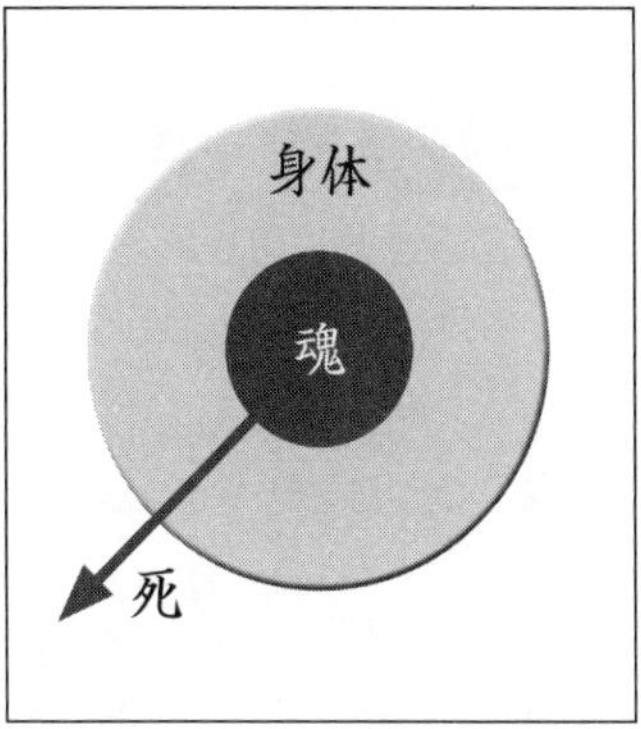

つまり、脳とは別に、魂、あるいは心や意識、または精神と呼んでもいいと思いますが、そういったものを一切想定しないということです。
ところが、アドラーは、まったく違う考え方をします。英語で書くと、彼は自分が創始した心理学のことをindividual psychology（個人心理学）と呼ん

でいます。「個人」というのはindividualの訳ですが、その日本語では意味が伝わりません。

なぜ「個人」なのかというと、inが否定の接頭辞で、dividualの動詞形がdivideになり、「分ける」という意味です。ですから、「個人」というのは、「分割できない」という意味になります。

「分割できない」というのは、感情と理性、意識と無意識、身体と心というふうに分割しないということです。アドラーは、怒りの感情が人を怒らせるとか、何かを選択した時、自分の意志で選んだと思っていても、実は無意識がそうさせたというふうには考えないのです。

さらに、身体と心（これは魂・精神・意識といっていいのですが）というふうに分けない。そのように分けることができない全体としての個人を扱うのが「個人心理学」です。

図2

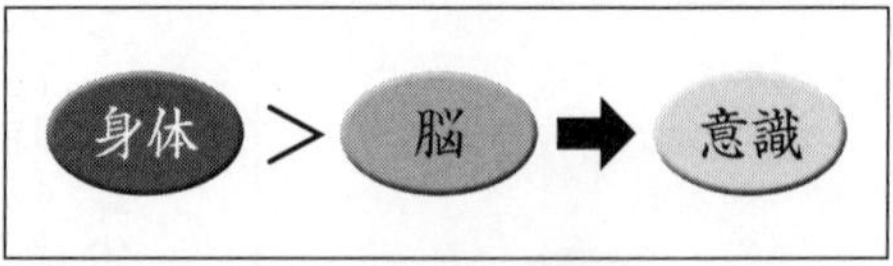

アドラーは「脳は心の道具だが、起源ではない」といっています。この脳が身体です。脳を含めて身体は心の道具、つまり心が身体を道具として使うが、起源ではない。要するに脳（＜身体）が心（魂・精神・意識）を作り出したわけではないというのです。

図3

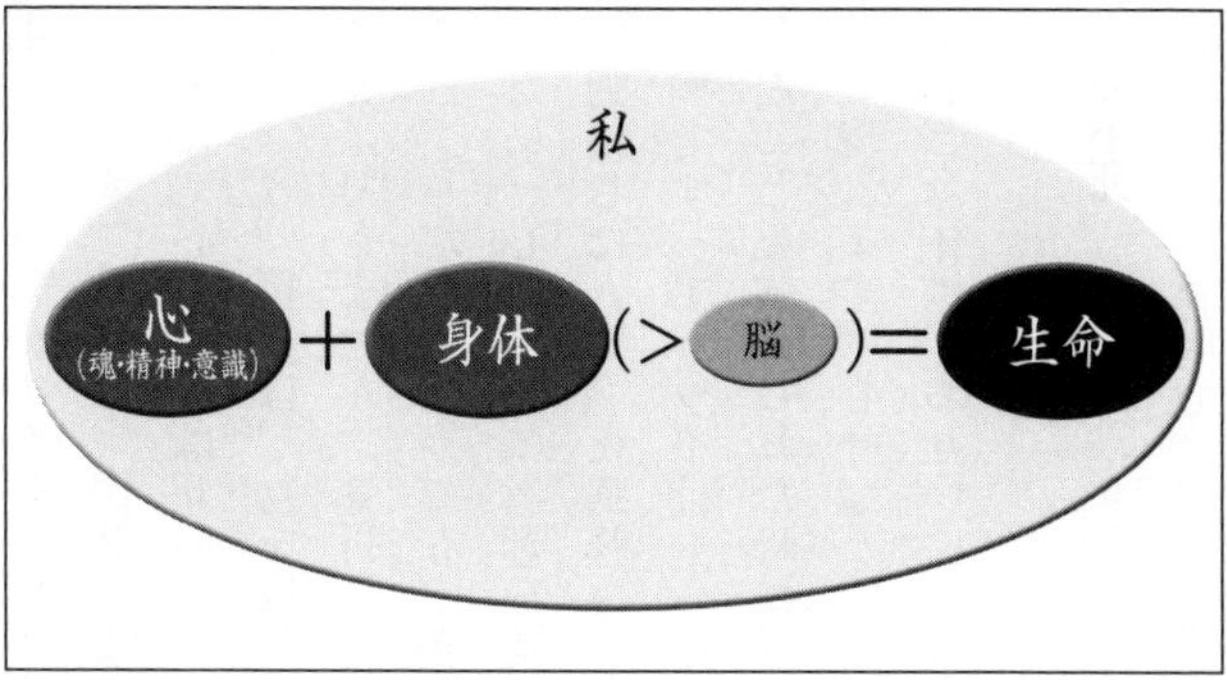

でも、心が脳も含めた身体を使うというのはおかしいでしょう。分割できない全体としての個人は、心ではないはずですし、身体でもありません。そうなると身体と心とは別に、アドラーは使っていない概念ですが、「私」というものを考えるしかありません。

心が脳を使うのではなく、「私」が身体である脳を使うのです。あるいは「私」が心を使うと考えないと、アドラーのいっていることは辻褄《つじつま》が合いません。

図示すると図3のようになります。「私」は、心（魂・精神・意識）と身体から構成されます。この身体の中に脳が含まれる。「私」が「心」を使い、「私」が「身体」を使う。この「私」が分割できない全体としての「私」である。

ただ、心と身体が同じというのとは少し違います。アドラーは、どちらも「生命」の過程、あるいは表現であるという言い方をしています。ですから、目の付けどころ、焦点の当て方が違うということです。本当は、図3のようなプラス（＋）と描いてはいけないのです。

さらに、心と身体は互いに影響を与え合う。身体が心に影響を与えるほうがわかりやすいでしょう。例えば、物を取り上げたいと思っても、もしも手が縛られていたら持ち上げることはできません。骨折したり、あるいは、老いや病気によって身体の自由が利かなくなると、したいと思ってもできないことがあります。

反対に、心が身体に影響を及ぼすことも当然あります。人からひどい言葉を投げかけられて動揺した人は、夜眠れなくなったり、熱が出ることがあります。これは心が身体に与える例です。アドラーはトラウマ（心的外傷）を否定していますが、人間が自分の意志に反したことを強いられた時に、心を病まないわけにはいきません。それはまた身体の症状として現れます。心身症という言葉が使われることがあります。ですから、生命の表現である心と身体は、お互いに影響を及ぼしうるということです。

「私」の不死

ここまでの説明では、「不死」について話せていませんが、もう少し話を続けます。私の祖父は戦争中に焼夷弾《しょういだん》を受け、顔面を大やけどしましたが、身体が損なわれたからといって、そのことで「私」はいささかも影響を受けません。私たちの身体もやがて機能を十分に発揮できなくなる。さらには、死によって、この身体の働きが停止するでしょう。でも、そうなっても「私」がなくなるわけではありません。

同じことを心に当てはめて考えてみましょう。心の機能が低下する。例えば認知症によって今しがたのことも覚えられなくなるとしても、あるいは、死とともに消滅するとしても「私」は残る。「私」はずっと不死であり続けるということです。

心も身体も死ねば消滅する、無になるというか、機能を停止してしまうかもしれません。でも、私たちの身近な人が亡くなった時、心も身体も両方なくなっても、だからといってその方の「私」までなくなるわけではありません。

では「私」が「心」や「身体」を使う時、何をしているのかといえば、「目標」を決めるのです。何かをしようと思う時、人間には自由意志があって、これやあれやしよう、あるいはしないでおこうと決心します。

そういう目標や設定は「私」がしているのです。先ほど、ＡＩが死者を蘇らせる話をしましたが、これを肯定する学者がいます。結局のところ、人間も自由意志はない、人間もコンピュータが作り出したような機械でしかない、過去のデータをインプットすれば死者を蘇らせることができると彼らは考える。

でも、過去のデータをどれほどインプットしても、それは機械が話しているわけであって、どう考えても死者が蘇って話しているわけではありません。亡くなった作家の新作をコンピュータに書かせるという試みがされたことがありました。でも、あまり話題にならなかったのは、つまらない作品だったからです。それが名作だったら話題になったかもしれませんが、今のところはそんな作品は出てきていません。

ＡＩがいずれ、そういうことをできると思う人がいるのですが、この講義で見たように、人間には自由意志がありますが機械にはないのです。

自分でない「何か」が自分に小説を書かせている、と感じた経験がない作家はいないでしょう。自分ではない「何か」といっても自分であることは間違いないのですが、これまで書いてきたことの延長線上で創作するのではなく、そこには一種の飛躍がある。これこそが自由意志で創作しているということの証左だと私は考えていますが、機械やＡＩではこのような創作活動をすることはできないでしょう。

行動全般についていえば、どんなに心と身体の制約があっても、「私」が何をするかは決められる。そういう「私」は、たとえ心や身体の機能が停止したとしても、ずっと不死といえるだろうと、今の私は考えています。

第2講の質疑応答の時、死んだ人はマイクが故障しても話し続けるという話をしました。このマイクが身体です。マイクが故障しても「私」はずっと話し続けます。プラトンは「魂の不死」といいましたが、今日の話に即していえば、「私」が不死だということになります。

立派に死ななくてもいい

では「死」についての最後の話をしましょう。もしもあなたが不治の病を宣告されて、この先あまり長く生きられないということがわかったとしたらどうしますか。

天寿を全うし、誰からも惜しまれて死ぬというのが、幸福な死とは限らない。そういうことは人間が望んでも実現するとは限りません。

ですから、若い人の死が天寿を全うした死よりも劣っているのかというと、もちろん、そうではありません。子どもが親よりも先に亡くなることもあります。それから、自死される人もいます。幸福な死、不幸な死というような区別はないと私は考えています。

特に自殺された方の親御さんには「最期だけを見ないでください」と伝えたい。誰にでも自死に先立つ人生経験があったはずです。

長く生きるのがよいとされますが、そうではありません。「今ここ」を生きることだけに意味があります。

それから、必ずしも立派な死に方をしなくてもいい。『パイドン』の中に、「人は静謐《せいひつ》の中で死ななければならない」とあります。死刑が執行される直前にソクラテスが語る言葉ですが、「ならない」というのは、そんなことはできないという含みがあるのでしょう。

ソクラテスは毒人参《どくにんじん》を飲みます。それを飲むと少しずつ身体に毒が回っていき、足の硬直が始まって、どんどん上に昇っていって、やがて心臓まで硬直して死んでしまう。もちろん、そんな死に方をする必要はありません。すべての別れは悲しいものです。もっとしたいことがあったでしょう。それなのに、死ななければならないことになった時、号泣してもいいと思います。

三木清が、『人生論ノート』の中で、このようなことをいっています。

「執着する何ものもないといった虚無の心では人間はなかなか死ねないのではないか」

さらに「執着するものがあるから死に切れないということは、執着するものがあるから死ねるということである。深く執着するものがある者は、死後自分の帰ってゆくべきところをもっている」といっています。おそらくこれは娘さんのことです。三木は妻を早く亡くし、娘と二人暮らしでした。

この部分を書いた時は、まさか敗戦後、自身が獄死して娘と別れることになるとは、思っていなかったでしょうが、自分が先に死んだら娘はどうなるだろうとは考えたはずです。三木は自分が愛した妻のことをずっと考えていました。自分が妻のことを、妻が亡くなってからも不断に思い起こすのであれば、自分もまた亡くなった時に、自分が愛した人は自分のことをきっと思い出してくれるだろう——と。

私が心筋梗塞で倒れた時にもっとも心残りだったのは、子どもたちの行く末を見届けずに死ぬことでした。自分のことはあまり考えませんでした。人間は一人で死んでいくのだ、一人で死ぬことはこんなに寂しいことなのかと思いましたが。こんな時、「死にたくないんだ！」と号泣してもいいでしょう。誰もが立派に死ぬ必要などないのですから。

［質疑応答］

――幸福の話のところで、幸福には条件がない、不幸にも条件がないとおっしゃっていたと思います。今、幸福であると思えなければ「幸福である」と言い聞かせなければなりませんか？

岸見　そのように言い聞かせないと、幸福であることに気がつかないことはあります。どんなに子どもに問題があって親の理想と違おうとも、子どもが生きていることが幸福であると気づくためには意識づけが必要です。

不幸の渦中にある人にはとりわけ容易なことではありません。病気になったのには意味があるなどとは他の人からいわれたくはないでしょう。でも、不幸だと見なされる出来事を経験した人が、あの出来事を経験したことには意味があったと思えるためには長い時間がかかります。

――「執着するものがあるから死ねる」という言葉の解釈が、やはり難しいです。でも今日の先生の話を聞いて、少し話が逸れるかもしれませんが、もしかしたら「生と死を分ける」ということもしていないのかなと思いました。期待に応えるというものがあるほうがいいのでしょうか。

岸見　他の人の期待に応えるということですか？

――主治医から「本を書きなさい、本は残るから」といわれたという話がありましたが、今日の講義にあった「執着」にそれがつながりました。

岸見　三木清は「期待」と「希望」を区別しています。未来とは「未だ来ていない」というよりは端的に「ない」と考えれば、未来に希望を持つことはできません。

私は医師の言葉で未来に期待を持ったのかもしれませんが、一命は取り留めたものの、健康を回復していろいろなことが以前と同じように自在にできるようになるとはとても思えませんでした。いわば明るい未来に思いを馳せ、これから何をしようと人生設計をすることなど思いもよりませんでした。

ただ、少しでも生きうるという希望は「今」持つことができたように思います。何が何でも生きるというような生への執着ではありませんでした。

――身体と死を分けられないように、生と死も分けることができないのではないかと思います。

岸見　今日の講義では、生と死の絶対的な断絶について話しましたが、死は生の「後」にくるというより、生の真っ只中にあるともいえます。ですから、今生きている時に、まったく死というものと無縁に生きている人はいません。生を終えた後に死がくるというより、生の直下に死がある。

誰もが確実に死ぬので、死だけは待たなくていい、今が充実していれば生のことを考えなくなる、死がどんなものかで生き方を変えるのはおかしいという話をしました。これくらい思い切らないと、死の不安にいつも囚《とら》われてしまうことになります。

――そうだとしたら、三木が執着があるから死ねるということが、生の中に死がある、死を生きるということに繋がった感じがします。

岸見　三木は「虚無の心」という言葉を使っていますが、そのような境地に達することはとてもできないだろうと思いますし、それでいいのではないでしょうか。生に執着することで、かえって生と死の絶対的な違いを受け入れることができるように思います。亡き子に執着したキサーゴータミーのように。

――イソップ寓話《ぐうわ》に出てくるアリとキリギリスでは、アリはきたるべき冬に備えて勤勉に働く一方で、キリギリスは、今を生きています。「今を生きる」ということと「長く生きる」ということについて考えを整理したいのですが。

岸見　人間はいつ死ぬかわからないでしょう。ですから、先のことを準備して、その時のために勤勉に生きることで、今をふいにしてしまうかもしれません。その意味では、キリギリスのように生きるというのも一つの生き方です。

しかし、「今日さえよければいい。今さえよければいい」というような生き方をアドラーは勧めているわけではありません。

前回の講義で話しましたが、今を生きるといっても刹那主義的に生きるという意味ではなく、「今ここ」にある「他者貢献」を目標に生きなければならないのです。

他者貢献といっても、大げさなことでなくてもいいのです。何度もいっているように、生きていることで貢献しているのです。

――その生きることで貢献するといっても、長く生きるのがいいという意味ではないのですね。

岸見　長く生きられるかどうかはわかりません。気がついたら百歳まで生きたということはあるかもしれませんが。つまり、長く生きたら、その人生がよき人生なのかというと、そうでもないといいたいのです。

長生きすることも短命であることも価値的には優劣はありません。「今ここ」を生き切れているかどうか、それだけが問題です。「今ここ」にスポットライトを当てるような人生を生きているかが問題なのです。

人生にうすぼんやりした光を当てていると先が見えるような気がするものです。そのような人は人生設計をするでしょうが、病気や事故や災害に遭った時、人生計画など立てられないということに思い当たります。

何かを達成することが成功であり、成功すれば幸福になれると思っている人にとっては計画が実現しなかったらかなりの痛手になるでしょう。マイホームを建てたばかりなのに、家が倒壊したという人もいます。そういうことはいくらでも人生には起こりうると思います。

私たちは成功するために生きているわけではありません。何らかの形で自分が他者に貢献していると思って生きられる人、あるいはそういうことを意識化できる人が幸福な人生を生きることができます。

そのように思えるか思えないかということで、死についての見方も変わってくるでしょう。今、自分が他者に貢献しており幸福であると思えるような人であれば、人生設計をしている人が死について覚えるような恐怖、不安感は持たなくてすむでしょう。

――「私」について、もう少し聞いてみたいです。やけどを負っても身体の変化があっても「私」は変わらない、認知症で心を病んでも「私」は変わらないということでしたが、「私」が不死であっても、「私」が変わってしまうことがあるのではないでしょうか。仕事を頑張ってしようと思っても、自分で決めたことはやり遂げようと思っても、そう思えなくなることがあります。こんなふうに変わってしまったら、それは「私」が一回死んで、全然違う自分になるということなのかなと思いました。

岸見　「私」は絶え間なく変化し続けています。でもその一方で、十年前の「私」と、今の「私」には連続性があるとも思いませんか。子どもの時と今の「私」には連続性がある。見た目は変わるでしょうが、あの時の自分と今の自分にはつながりがあるという意味での同一性は維持されています。

他者の影響を受けて自分が変わることがあります。どんな人の前でも、誰からも影響を受けないで決して変わらないという人はいないでしょう。それでも、その都度《つど》私が別人になるわけではありません。

でも、この人の前ではいつもの自分と違う自分であろうと決めるのは「私」であり、その「私」はずっと「私」なのです。

——「今ここ」という話がありました。時間感覚、空間感覚がなくても、それともないから「今ここ」がわかるのでしょうか。また、「今ここ」に生きているというのは、「今、自分は充実しているな」と感じる時だと考えればいいのでしょうか。

岸見 私の父が認知症になった時、今しがたのことを忘れるようになりました。母のことも忘れてしまったことに驚きましたが、人間の理想の生き方をしていたといえるかもしれません。

他方、私たちは意識して過去と未来を手放さないと、過去を思って後悔し、未来を思って不安になります。

それでも、「今ここ」を生きていたことに気づくことがあります。「今ここ」のことを過去形を使っていうのはおかしいのですが、「今ここ」を生きている時には、そのことすら意識していないはずです。私は講義をしている時に、「今ここ」を生きています。身体のことも忘れます。ところが、ふと明日送らないといけない原稿がまだ書けてないことに気づくと、たちまち現実に引き戻されてしまいます。

でも、話し始めてから今に至るまで未来のことを私はまったく意識していませんでした。後悔も不安も、さらには自分が幸福であるかということすら意識していませんでした。

ある日、父が思い詰めた表情で「自分の家に帰る」と言い出した時がありました。前に一人で住んでいた家は引き払ってしまっていたので父には帰る家がなかったのですが。「まあまあ、そういわずにそこにすわって」といって、父と話をすると、どこにも帰らなくていいことに納得して、それからは落ち着きました。

私たちも今ここにいながら違う時間、場所のことを考えていることがありますね。「ここにいるべきではない」「早く帰って仕事をするべきだ」と思っている。第1回の講義でも少し触れましたが、看護生が私の講義を聞かずに目の前で一生懸命資格試験の過去問題集を解いていたことがありました。

私の講義を聞かなかったからといって、将来患者の命を奪うようなことにはならないかもしれません。でも、その時、「この先生の授業は意味がない、関係がない」と思って聞かなかったことによる知識の欠落によって、将来患者の命を奪ってしまうことがあるかもしれません。

どうなるかわからない未来より、「今ここ」しかない人生をふいにするのはもったいないと思います。

第6講　今ここを生きる

sachlich《ザッハリッヒ》に生きる

いよいよ今回が最終講義になりました。

「今ここ」という言い方を、実はアドラー自身はしていません。フロムが、hic et nunc というラテン語を著作（*To have or to be?*）の中で使っていますが、hicが「ここ」、nuncが「今」にあたります。

もちろん、アドラーがこの言葉を知らなかったわけではありません。アドラーは、unsachlichという言葉を使って、現実との接点のない生き方を問題にしています。これは「事実」とか「現実」を意味するSacheという名詞から派生する形容詞で、「事実や現実に即していない」「現実との接点を失った」という意味になります。

unは否定する言葉なので、それを取ったsachlichは「事実や現実に即した」という意味になり、私はこれを「即事的」と訳しました。「sachlichに生きる」というのは、現実との接点がある生き方、あるいは、もっとわかりやすくいえば「地に足が着いた生き方」という意味になります。第1講で、哲学は生活者として地に足をつけて物事を考えること、また、哲学は具体的に考えることだという話をしました。哲学を学んでの生き方も現実に即した、地に足がついたものでなければならないということです。

では、どうすれば、そのような生き方をすることができるか考えてみましょう。

人からどう思われるかを気にしない

一つは、人からどう思われるかを気にしないということです。これは、よく誤解されるのですが、他人をまったく気にしないとか、傍若無人に振る舞っていいというような意味ではありません。

これまで話す機会があった若い人たちは皆「優しい」人でした。自分の言動が他の人にどう受け止められるかを意識できることが大切であることはいうまでもありません。その意味で誰もが人からどう思われるかを気にしています。人を傷つけないでおこうと心がけていれば、人を傷つけないかといえばそうではありませんが、それを意識するのとしないのとでは大きな違いがあります。

しかし、あまりに人を傷つけまいと気にしすぎると、いいたいことがあってもいえないことになり、結局は、望んでいないことをすることになってしまいます。ここではまず、人からどう思われるかを気にする人は、優しい人であるということを知っておいてください。

では、私たちは人からどう思われたいかといえば、当然、よく思われたい。そこで、よく思われるために、人の期待に合わせて生きようとします。そうすると、本当はしたいことがあっても、言い出せないことになります。食事に行った時に、食べてみたいものがあっても、他の人と同じものを注文するぐらいであれば、それほど大きな害にはならないかもしれません。でも、人生の進路を親の希望に合わせると、自分の人生なのに親の人生を生きることになります。

他方、自分がしたいことを他の人がどう思うかに関係なく自分で決めると、それに反対する人は必ず出てきます。人から嫌われることもあります。

もしも誰からもよく思われている人、誰からも嫌われていないという人がいれば、そのような人は自分の人生を生きてはいないのです。つまり、まわりに合わせて生きているので、自分を悪くいう人がいないというだけなのです。

そのような人は、自分の信念に従って生きるのではなく、他の人に気に入られるような生き方をするので、人生の方向性が定まりません。また、自分の考えを持たず絶えず人の顔色を窺い、考えを変えているので誰からも信頼されなくなります。

ですから、自分を嫌う人がいるというのは、自分が自由に生きていることの証《あかし》ですし、自由に生きるためには、それぐらいは支払わなければならない代償だといえます。

若い人であれば、親に結婚を反対されることがあります。親というのは、子どもの結婚に反対するのが仕事だと思っているのかもしれません。でも、親は子どもの人生の責任を取れません。例えば子どもから、あの時親に反対されたので好きな人と結婚するのを諦めたけれど、もしも自分の好きな人と結婚していたら今頃幸せになれたのに、といわれたとしたら、親は子どもの結婚に反対したことの責任を取れるでしょうか。

子どもについていえば、結婚生活がうまくいかなくなった時に、親に結婚を反対されて好きな人と結婚できなかったから不幸になった、と親のせいにするのはずるいです。親に反対されて結婚を断念した人は、その時、親からよく思われたかったのです。

そのように思って自分の人生を生きることを断念するような人はsachlichに生きているとはいえません。その人は自分ではなく、親の人生を生きているからです。

今の時代は親にいわれて結婚する人は少ないかもしれません。それどころか、いつまでも結婚しない子どものことを心配する親は多いです。親が早く結婚するようにといっても、子どもは自分の人生なのだからといって、当然拒んでもいいのです。

自分への関心を他者に向け変える

アドラーは人からよく思われたいことを「虚栄心」といっています。「人は虚栄心によって容易に現実との接点を見失う」というのです。そのような人は、自分ではなく、他の人が自分に期待する人生を生きようとするのですから、sachlichに生きていないのです。また、いわば背伸びをして自分を実際よりもよく見せることで、よく思われようとする人も、人の期待に合わせた自分を生きているのであり、ありのままの自分を生きられない人は、自分のではなく、他者の人生を生きています。

反対に、よく思われようとしない人は、現実との接点も見失わずにsachlichに生きているのです。

さらにアドラーは、人からどう思われるかを気にする人は「行動の自由」が妨げられるといっています。このことは第2講で話しましたが、行動の自由が妨げられるというのは、いうべきことがいえない、するべきことができないということです。

自分が何をいうべきか、するべきなのかを知らないはずはないのですが、こんなことをいえば、例えば、上司からよく思われないだろう、そうすると、自分が不利な目に遭うだろうと考えて、本当のことをいわなくなってしまいます。

あるいは、上司からいわれたことしかいわなくなります。失敗して上司から叱られたり責任を取らされるよりは、上司のいいなりになっているほうが楽なのです。良心の呵責《かしゃく》というものがなくなり、魂を売り渡したような表情をしている官僚や政治家は今、あまりに多いです。こんなことになると「人間のあらゆる自由」を妨げるとアドラーはいうのですが、自分にとって有利かどうかということばかり考えるからです。

反対に、良心の呵責がある人は悩むことになります。自ら命を絶たれた方がおられましたが、そのようなことはあってはならないことです。

するべきことをしない、いうべきことをいえない人は、結局のところ、自分にしか関心がないのです。アドラーがいう「共同体感覚」を表す英語はsocial interestですが、これは「他者への関心」という意味です。教育の目標は「自分への関心」(self interest)を「他者への関心」(social interest)へと向け変えるという意味で、「共同体感覚の育成」だとアドラーは考えています。

アドラーは政治の力によって世界を改革することを断念しました。教育による世界改革をしなければならないと考えたのですが、それは今見たように政治家や官僚が自分のことにしか関心がないというところが一番の問題だからです。

誰もが生まれてきた時には、この世界の中心に生きることになります。親の不断の援助がなければ子どもは生きていくことができません。でもやがて、子どもは自分ができることは自分でしていくようにと親にいわれます。その時、自分が世界の中心にいないことを知ることになります。

ところが、いつまでも自分がこの世界の中心にいた時のことを忘れることができず、他の人が自分に何をしてくれるかということばかり考え、自分にしか関心がない人がいるのが問題なのです。自分にだけ向けられている関心を他者に向け変えることが教育の目標です。他者に関心を持たない政治家は有害以外の何者でもないのです。

ありのままの自分を受け入れる

人からの評価は自分の価値や本質とはまったく関係がありません。人からよくいわれたら嬉しいという人は多いですが、誰から何といわれようと自分で自分の価値を認めることができなければなりません。人の評価に自分を合わせて生きる人はsachlichに生きていないのです。

他者からの評価とは関係なく、ありのままの自分を受け入れることがsachlichに生きるということの二つ目の意味です。

ありのままの自分を受け入れることができなければ、幸福であることはできません。なぜなら、他の道具と違って、この「私」という道具が気に入らないからといって、他の「私」と交換することはできないからです。どれほど癖があっても、この「私」と死ぬまでつき合っていくしかないのです。

「私」という道具が他の道具に置き換えることができないと今いいましたが、前回、「私」が「心」や「身体」を使うという言い方をしました。前回の講義に即していうなら、言葉を厳格に選ばなければなりません。取り替えることができないのは、心や身体を使う「私」です。

心は変わります。心の機能という言い方ができるかもしれません。この自分や他者、あるいは世界をどう見るかということをアドラーは「ライフスタイル」と呼んでいます。それは一般的に「性格」と呼ばれています。このライフスタイルを「私」が変える、あるいは変えないという決心を心によってするのです。ライフスタイルや性格が変わると人が変わるように見えますが、それでもそれらを変える決心をするのは「私」なのです。

それでは、自分の思い通りにライフスタイルを決められるかというとそうではありません。ライフスタイルを決定する時に、影響を与える要因は多々あるからです。それが「私」のライフスタイルの選択に影響を及ぼします。

身体についても、同じことがいえます。いつまでも若いと思っていたのに、歳を意識しないわけにはいかなくなります。また、若い人でも突然病気で倒れることはあります。そうなった時に、どう生きるかを決めるのはこの「私」であり、自分の身体の状態が変わろうとも、「私」が変わるわけではありません。

皆さんはこれまでの人生を振り返ってみてどうだったでしょうか。多くの親は子どもに理想を押しつけます。子どものほうも親の期待に沿うべく、一生懸命努力します。最初は親から押しつけられた理想であっても、自分でも理想の自分であるべく努力します。子どもは押しつけられたとは思っていないかもしれません。

私は保育園に通っていた頃、祖父から「お前は頭がいい子だから、大きくなったら京大へ行けよ」といわれていたことを覚えています。それがどういう意味なのか、本当の意味でわかっていたとは思いませんが、自分が優秀であるということを認められたと思い、得意になっていたかもしれません。

そのように親や教師、大人から期待されて育った子どもは、いつの日か大人の期待を満たせないことに思い至ります。大人が期待するような成績を取れなくなると、たちまち自分には価値がない、駄目な人間だと思うようになります。

私の高校生の時の話です。配られた作文のプリントを見て、これは先生が自分で作った問題ではないだろうと思いついた私は、学校の帰りに書店へ行って英作文の問題集を何冊か手にとって調べてみました。すると、はたしてある本に載っている問題がそのまま印刷されていることがわかりました。

私はすぐその問題集を買いました。家に帰って翌日の予習をしている時、その本の答えを見たくてたまらなくなりました。さすがに最初から見るのは駄目だろうと思ったのですが、自分で作文した後なら許されるだろう、そう思って一度答えを見てしまうと、もはや止めることはできませんでした。答えを写したわけではないのだ、あくまでも参考にしただけだ、と自分に言い聞かせながら予習をして、翌日の授業に出ました。

この授業では、生徒がまず答えを黒板に書き、先生が解説をしながら生徒が書いた英文を直していきます。答えを見て作った私の英文は当然完璧だったので、先生は何一つ訂正しませんでした。そして、こういったのです。「君は英語ができる」と。

それからというもの、私は先生の期待に応えなければならないと思うようになりました。答えを見れば完璧な英文を書けます。しかし、そうすることで、先生によくできる生徒だと認められても、もちろん肝心の英語の力がつくはずはありません。

英語ができないのであればできないという現実を受け入れるしかないのに、先生の期待に応えなければならないと思った高校生の私は、つらい思いをしました。この頃の私はsachlichに生きていなかったわけです。

勉強だけに限らず、他の行動でも同じようになることが問題です。他者からの評価が行動基準になってしまう。人との付き合いにおいても、「あなたって嫌な人ね」といわれたら、落ち込んでしまいます。でも、それはその人の自分についての評価でしかなく、その人の評価の言葉によって自分の価値が低くなるわけではありません。反対に、「あなたっていい人ね」といわれたら、舞い上がるかもしれませんが、それもまたその人の自分についての評価でしかなく、その人の評価の言葉が自分の価値を高めるわけではないのです。

仕事においても同じことが起こります。仕事に評価はつきものですし、何らかの結果を出さなければ評価は下がります。しかし、その場合でも、評価と自分の価値は違います。仕事上の評価を高めるためには努力が必要ですが、仕事ができないからといって、人間性まで低く見られる必要はないということです。

もっといえば、仕事においてですら、その評価が必ずしも正しいとは限りません。若い人が入社してからどんな仕事ができるかは誰にもわかりません。今は成果を出せなければ、会社に居続けることが難しくなってきています。大学の教師でも毎年何本も論文を書き、学会で発表しなければなりません。しかし、本当に独創的な研究は一年や二年では結果を出せるとは思いません。だから、若い人がすぐに結果を出せない、あるいは、その結果を正当に評価されないとしても絶望することはないのです。

一生懸命勉強や仕事をしても、必ずよい結果を出せるとは限りません。そうであれば、勉強や仕事においてよい結果を出せないのが今のありのままの自分なので、よい結果を出す必要があるのであれば、そのできないというところから始めて勉強をし、仕事に励まなければなりません。

職場で突然英語を使うことが必要になったとしたら、たとえ学生時代からずっと英語を勉強してこなかったとしても、英語がなかなか身につかない理由を探していないで、辞書を引くしかありません。若い頃のように記憶力がないという人は多いのですが、本当は、記憶力は歳をとってもそう衰えるものではありません。受験勉強していた頃のように本気を出して勉強すれば、英語に限らずたいていのことは身につくものなのです。

もっとも、本当に英語が必要なのか疑問に思ったのならば、それを会社や上司に問い質《ただ》せることのほうが大切だと私は思います。会社であれ、政府であれ、いわれたことに唯々《いい》諾々《だくだく》と従うのが当然と思い、従わない人を非難することのほうが問題だと思います。

話が逸《そ》れましたが、「ありのままの自分」というのは、そのように人から押しつけられる理想の自分でもなく、また、自分自身が自分に課す理想の自分ではありません。いつもの自分と現実の自分との乖離《かいり》が劣等感になりますし、理想の自分になると思っている限りsachlichには生きられないことになります。

可能性の中に生きない

さらに、「sachlichに生きる」ということがどういう意味なのか考えてみましょう。

神経症的なライフスタイルを持っている人は、「もしも○○ならば」と可能性に賭けて生きています。そのような人は課題に挑戦し、そのために結果が明らかになることを恐れているのです。

例えば、親はよく子どもにこんなことをいいます。「本当は、あなたは頭がいいのだから、本気で勉強したらもっとよい成績が取れるのに」と。そのようにいわれた子どもが本気を出して勉強するかといえば、しないでしょう。なぜなら、「もしも勉強すれば」という可能性の中に生きるほうが、本気を出して勉強していい成績を取れないという現実に直面するよりは、はるかに望ましいと考えるからです。

また、このライフスタイルの人は、アドラーの言葉を使うならば「足踏みしたい」「時間を止めたい」と考えます。課題を前にためらうのです。そうすることの狙いも明らかでしょう。結果を出したくないのです。そして、課題を回避することを正当化する理由を山と出してきます。「はい、でも」というような言い方をする。「でも」といった時点で、「しない」という決意表明なのです。

しかし、思うような結果を出せなくても、失敗しても、まずはやってみるしかないでしょう。結果は遅かれ早かれ出るのですから、それに直面したほうがいいのです。その上で対策を練っていくしかありません。可能性の中に生きることをやめ、現実と直面することがsachlichに生きるということです。

人は流れの中に生きている

sachlichという言葉を時間的にも使うことができます。これは、過去と未来を手放すということで、「今」を生きるということです。

今日の講義の最初に話した「今ここを生きる」という言い方は、古代ローマのストア派の哲学に由来します。例えば、ローマ皇帝のマルクス・アウレリウスは、こんなことをいっています。

「たとえお前が三千年生きながらえるとしても三万年生きながらえるとしても、覚えておけ。何人《なんぴと》も今生きている生以外の生を失うのではないこと、今失う生以外の生を生きるのではないことを」（『自省録』）

三千年とか三万年は少し長すぎるようにも思いますが、何年生きたかは問題ではなく、生まれて間もない子どもも長く生きた人も「今」しか生きられないのです。

続けて、アウレリウスは次のようにいっています。

「だから、もっとも長い生、もっとも短い生も同じことだ」

手から砂がこぼれ落ちていくように、過ぎ去ってしまった過去も、まだない未来も持つことはできないのです。

「今はすべての人に等しく、したがって失われるものも等しい。かくて、失われるものは束の間のことであるのは明らかだ。過去と未来を失うことはできないからである。持っていないものをどうして彼から奪うことができるだろうか」

過去と未来は持てないのです。もっとも、ここでアウレリウスは、今は失われるので、失われる今は持つことができるといっているように見えますが、今も持つことはできません。

「各人は束の間のこの今だけを生きている。それ以外はすでに生き終えてしまったか、不確かなものだ」

人は流れの中に生きているのです。古代ギリシアの哲学者であるヘラクレイトスは「同じ川には二度入れない」といっています。この世のすべてのものは流れゆくものであり、同じものとしてあるものは一つとしてないということです。

他方、未来に何が起こるか誰にもわかりません。その意味で、未来は「不確かなもの」です。明日必ずこうなるだろうと想像していても、その通りになるということは決してありません。

常識的には、人生を誕生から始まり、死で終わる直線的なものとして考えますが、このように、過去も未来も持てないので、人生を長く生きたかそうでないかは問題にならないのです。ただ、今を生きているのであり、その点の連続が人生です。刻々の今を生き続けていると、振り返れば長く生きたことにはなりますが、どれだけ長く生きたかは本来問題にならないのです。

若くして亡くなった人は、道半ばで亡くなったという言い方をすることがありますが、アウレリウスのように考えると、「半ば」はありえないことになります。

過去を手放す

過去は「すでに生き終えて」しまっていて、もはやどこにもありません。取り戻すことはできない。どんなに思い出があってもその時に戻ることはできません。

今の生きづらいと思うことの原因が、過去に経験したことにあると見たい人はいるでしょうが、タイムマシンがなければ過去に戻れません。そうであれば、その原因を取り除くことができないので、これからもずっと生きづらいと感じ続けなければならないことになるでしょう。

子どもにとって親の影響は非常に大きいです。大人になってから、自分がどんなふうに育てられたかを知った時に、自分が今生きづらいことの原因が親にあると考える人がいるのはわかります。

でも、はっきりしていることは、これから生きていかなければならないので、いつまでも過去のことにこだわっているわけにはいかないということです。

親とて子どものことが憎かったわけではありません。子どもが学校に行かなくなったと相談にやってきた人たちに、「あなたは悪い親だったのではなく、下手な親だったのだ」ということがあります。子どもとの関係の築き方を知らなかっただけのことなのです。

親の側からいえば、子育ては後悔の集大成といえます。後になって、あんなことはしなければよかったと思うようなことにいくらでも思い当たります。私は親に「これから子どもとの関係を改善したいのであれば、その方法を一緒に学んでいきましょう」と話します。

不完全な子育てや、また介護をしたとしても、そのことが直ちに子どもや親の状態に悪影響を及ぼすわけではありません。子育てについていえば、親がたとえどれほどひどいことを子どもにしてきたとしても、そのような親を受け入れる子どもがいます。その子どもにひどい親だなどとうっかりいおうものなら、「そう見えてもあの親にもいいところがある」と返されることがあります。

子どもが親を恨んでくれたほうがいいのです。というのも、親が子どもを虐待して育てたとします。そのことを子どもが受け入れず親に反発すれば、自分が親になって子どもを育てる時に虐待をすることから脱却できます。しかし、虐待をする親を受け入れてしまう子どもは、親が本当は自分を愛していたのだと思いたいばかりに、自分がそうされたように我が子を虐待することが残念ながらあるのです。もしも自分が子どもを虐待しているのにもかかわらず、この子を愛することができたならば、自分の親もまた自分を虐待していたけれども愛してくれていたはずだと思えるからなのです。

かくて、虐待は連鎖していきます。教育のそもそもの目的が自立であると考えれば、子どもが親に愛想を尽かして親元を去って行くとすれば、それはある意味で教育に成功したといってもいいわけです。

未来を手放す

未来もまた手放さなければなりません。未来は「未だ来たらず」というよりは端的に「ない」のです。未来のことを思うと不安になりますが、その時になってみないとわからないことに、今不安を感じても意味はありません。

子どもが学校に行かなくなると、このままずっと家にいるのではないかと親は不安になりますが、子ども自身も不安なのです。親は一日でも早く学校に行ってほしいと願いますが、どうなるかわからない先のことを思って不安になるのではなく、とにもかくにも子どもが無事に家にいることを親がありがたいことだと思えるようになると、イライラすることがなくなり、親子関係が変わってきます。

親子関係がよくなっても、子どもが学校に行くようになるかどうかはわかりません。学校に行くか行かないかは子どもが自分で決めることだからです。でも、大事なことは、家にいる時が子どもにとって本当の人生であり、決して仮の人生ではないということ、やがて復学する日のための準備期間やリハーサルなどではないということです。

同じことは誰にとってもいえます。どんな時も準備期間やリハーサルではなく、本番です。病気で入院している時も、それがその人にとって本当の人生であり、退院して初めて本当の人生が始まるわけではないのです。

この先何が起こるかがわからなければ不安になります。けれども、人生は先のことがすべて見通せていたらよいのかというと、そうではないでしょう。前回でも見たように、人生にうすぼんやりした光しか当てていないので、何となく先まで見えるような気がするだけなのです。

今ここにある目標

これまで見てきたように過去や未来に囚われて生きるのではなく、「今ここ」に焦点を当てることに加えて、さらに積極的にどんな生き方が望ましいか考えなければなりません。アドラーが、現実との接触を失うと「人生が要求していること、人間として〔他者に〕何を与えなければならないかを忘れる」といっています（『性格の心理学』）。

他者に何を与えることができるでしょうか。「与える」というのは、これまでの言葉を使うなら、「貢献する」ということですが、これまで講義で見てきたように、何かをすることでしか貢献できないわけではありません。

自分が「今ここ」で生きていることでそのまま他者に貢献できるのであり、他者に与えることができるのです。

このように思えるのは、もちろん容易ではありません。幼い頃から何かができなければならないと言い聞かされ、大人になってからも成功しなければならないといわれ、自分でも強迫的にそう言い聞かせてきた人が「何もできなくてもいいのだ」といわれても、すぐには受け入れることはできないでしょう。

しかし、第4講でも見たように、年を重ねたり病気になったりしていろいろなことができなくなっても、自分の価値がなくなるわけではなく、また病気で家族の助けを必要とするようになっても迷惑をかけていると考える必要はなく、看病や介護をする家族が貢献感を持てる貢献をしているということを知っていただきたい。

自分は生きていることで他者に貢献していると思える人は、他者についても寛容になれるでしょう。親子関係を例にするならば、学校に行っていようがいまいが、子どもが生きていることがそれだけで喜びに感じられるのです。

今述べたような「他者貢献」が生きることの目標です。目的や目標は未来になくてもいいのです。何も成し遂げなくても、「今ここ」で生きているだけで他者に貢献することを目的、目標に生きるのですから、「今ここを生きる」というのは、刹那《せつな》的に生きるという意味ではないのです。

何かを達成しなくても他者に貢献していることがわかれば、未来を待たなくても、「今ここ」で、幸福で「ある」ことができるのです。

激痛がある人が医師から「明日は痛みがなくなります」といわれても激痛が治らないことがあるように、「明けない夜はない」とか「夜明け前が一番暗い」というようなことをいわれても気休めにしか聞こえません。

病気の人に「元気になってまた仕事をしてください」というのも同じです。今健康を取り戻せていない人には響くことはないでしょう。しかし、病気が治らなければ他者に貢献できないのかといえばそうではないのです。元気になれば仕事もできるようになるでしょうが、そうではなく、今すでに他者に貢献しているということを患者に伝えなければなりません。

患者の側からいえば、病気のために何もできなくて病床に伏せっている今という時――それは、将来の、病気が癒え仕事が再開できるようになる日のための準備期間ではなく、たとえ病気が回復しなくても本番なのです。

病気でなくても、生きることは苦しいです。しかし、人の価値は生きることにあるのですから、人生がどれほど苦しくても生きようと決心をすることがsachlichに生きるということなのです。

［質疑応答］

――毎日を生き切ると明日に賭けることはなくなるとおっしゃいましたが、そうでしょうか。例えば、オリンピックを目指すアスリートが、日々精一杯努力して準備したのに、オリンピック自体が中止や延期になったという時、とても残念な気持ちになると思うのですが。

岸見 オリンピックが中止や延期になれば、それはがっかりするでしょう。私自身も、韓国映画を取り上げた本を長い時間をかけて書いて、いよいよ出版目前になったのに、日韓関係が悪化し、出版が見合わされることになった時の悔しさを思い出しました。延期になったことで残念な思いをしているアスリートが、オリンピックでなくても、何らかの仕方で練習の成果を発揮できる日がくることを願っています。

ただ、アスリートは結果を出すためにだけ日々練習しているわけではないでしょう。結果を出すことよりも、結果に至るプロセスが重要ですし、結果さえ出せばいいわけではありません。

ボクシングの村田諒太選手と対談したことがあります。彼は自分が対戦できるのは多くの人のおかげだといっていました。それはその通りなのですが、私は「リングに立ったら、応援してくれる人のことを考えなくてもいい。あなたがリングで戦っている姿を見て、子どもたちは夢を与えられ、大人は勇気をもらえるのだから」と伝えました。

本当に選手を応援する人であれば勝敗にこだわらないはずですし、選手のほうも結果が出せなかったからといって謝る必要などないのです。

望む結果が出せなかったら、すぐに練習をするでしょう。日々、今日の講義の言葉を使うなら、「今ここ」での練習を重ねることがすべてです。

スポーツに限りません。人生で、自分が願っていたことが実現できなかったことはいくらでもあります。頑張って勉強したけれども、自分が行きたい大学に入れなかったという人もいるでしょう。

では、そのような憂き目にあった人が、その後、生涯二度と勉強しなくなったかというと、そうではないでしょう。本当に学ぶ喜びを知っている人であればということですが。

チェリストのジャクリーヌ・デュ・プレが多発性硬化症で倒れたのは二十八歳の時でした。あるコンサートの日に腕と指の感覚を失い、長い闘病生活の後で亡くなったのは四十二歳の時でした。

それでも、彼女は打ちのめされることはありませんでした。チェリストとしてかつてのような活動はできなくなりましたが、打楽器奏者として舞台に立ったことも、プロコフィエフの『ピーターと狼』の朗読を務めたこともありました。音楽を諦めたわけではなかったのです。優れたチェリストとして名演奏を残したことだけでなく、チェロを弾けなくなってからも、病に屈することなく、人生を生き抜いたところが人の心を打つのです。

――sachlichに生きるということがどういうことなのかよくわかりましたが、下を見てばかりでは駄目なのでしょうね。

岸見　第1講でも話したタレスが、ある時、星を観察するために家の外に出ました。ところが、溝に落ちてしまいました。大声で泣くタレスに老婆がこういいました。「タレスよ、あなたは足元にあるものを見ることができないのに、天上にあるものを知ることができるとお考えなのですか」

天上ばかり見ていればタレスのように溝に落ちるかもしれません。でも、足元ばかり見て歩いていたら、溝には落ちないかもしれませんが、人とぶつかって転倒してしまいます。そうならないためには、目をしっかり上げ、今自分がどこにいるかを知っていなければなりません。足元を見つめて現実的に生きるのと同時に、理想も失ってはいけないのです。

——第3回の講義の中で人には仲間と敵がいるのではなく、すべての人は仲間であるとアドラーが考えていたという話がありましたが、これなどはあまりに理想主義的ではないでしょうか。

岸見　理想は現実と違うので、理想なのです。現状をただ追認する、つまり、現実はこうなのだといっているだけでは、この世界をよりよいものにしていくことはできません。現実主義は現実を説明することに終始し、現実を変える力はありません。理想を掲げることで、初めてそれに近づくことができるのです。

この世界をよりよいものにするということは、現状ではこの世界は完全ではなく、理想のものでもないということです。プラトンはこの理想を「イデア」といいました。この世のいろいろなことにイデアの面影《おもかげ》を認めることができますが、どれも完全ではない。大事なことは、理想をこの世のいかなるものとも混同してはいけないということです。この世界で起こっていることを理想の正義に照らして絶えず検証しなければならないのであって、無批判に受け入れてはいけないということです。

このような検証を可能にするのが哲学です。第2講の質疑応答でもいいましたが、哲学は現状を説明したり追認したりするものではなく、理想論でなければならないのです。哲学を学び理想を見据えている人は、どんな苦境にあっても、冷静に起こっていることを分析し、どう対処すればいいか考えることができるのです。

——コロナウイルスが蔓延する世界で、どうすれば希望を持って生きることができるでしょうか。

岸見　パンデミック（pandemic）という言葉が使われます。これはコロナウイルスのような世界の複数の地域で同時に流行する病気について使われる言葉ですが、「すべての人々」という意味のpandemosという古代ギリシア語が語源です。

ですから、今起こっていることは国難ではなく、international crisis、あるいはdangerとでもいうべきものであって、一つの国だけに降りかかった災いではなく、すべての人に降りかかった災いです。

第3講で話しましたが、アドラーは、中国のどこかでもしも子どもが殴られているとすれば、そのことに我々皆が責任があるといっています。つまり、たとえ自分の国で発生していない病気であっても、その病気に責任があるということになります。まして、今は世界の国で発生しているということで、すべての人に責任があるのですから、国の違いを超えて、皆が協力し病気の克服に向けて努力していかなければなりません。

アドラーは「勇気は伝染する」といっています。病気はすべての人に伝染していきますが、この病気を克服するためには「勇気」がすべての人に伝染しなければなりません。では、どんな勇気が必要か。

まず、他者を仲間だと思える勇気です。そう思えるからこそ、協力しようと思える。この病気がどこで発生したものかというようなことをいってはいけないということです。

次に、悲観的にも楽天的にもならない勇気です。悲観的な人は「何ともならない」と思って諦めて何もしない。悲観主義者は状況に対処する勇気を欠いているとアドラーはいっています。

他方、楽天的な人は「何とかなる」と思って何もしません。自分では何もしないで人任せにしてしまう。自分が何もしなくても何か奇跡のようなことが起こって、苦境から脱出できるだろうと期待してしまうのです。

悲観主義でも楽天主義でもなく、「楽観主義」に立たなければなりません。たしかに、直面している病気に対しては、できることとできないことがあります。病気は人間の都合で終息するはずはありません。それでも、できることをするしかないのです。

個人の力だけではどうすることもできないことは多々あります。そのことについては国の施策に俟《ま》たなければなりませんが、それでも異を唱えるべき時は唱えて、「仕方がない」と諦めてはいけないと思います。

最後に、これから生きていくに当たって、本当に大切なこととそうでないことを見極める勇気を持たなければなりません。何事もなければ多くの人が共有している価値観に疑問を持たないかもしれませんが、それを自明のことにしないで、疑わなければなりません。私の理解では自分の価値観を疑い、人生の意味を考えさせているのが哲学です。

アドラーは、いいます。

「一般的な人生の意味はない。人生の意味はあなたが自分自身に与えるものだ」(『人生の意味の心理学』)

これは、人生には意味がないということではありません。「一般的な」人生には意味はない、誰にも当てはまるような人生の意味などはないということです。成功こそ人生の意味であると考え、何の疑いもなく成功を人生の目標にする人は多いですが、そうではなく、人生の意味は自分自身で探し求めなければならないのです。

これで私の講義は終わります。ありがとうございました。

校閲　福田光一
DTP　山田孝之

岸見一郎 きしみ・いちろう
1956年京都府生まれ。哲学者。
京都大学大学院文学研究科博士課程満期退学。
専門の哲学（西洋古代哲学、特にプラトン哲学）と並行して、
1989年からアドラー心理学を研究。
著書に『アドラー心理学入門』『アドラー 人生を生き抜く心理学』
『NHK「100分de名著」ブックス アドラー 人生の意味の心理学』
『人生は苦である、でも死んではいけない』など、
共著に『嫌われる勇気』『幸せになる勇気』など。

NHK出版新書 624

今ここを生きる勇気
老・病・死と向き合うための哲学講義

2020年5月5日　第1刷発行

著者 岸見一郎 ©2020 Kishimi Ichiro
発行者 森永公紀
発行所 NHK出版
〒150-8081 東京都渋谷区宇田川町41-1
電話 (0570) 002-247（編集） (0570) 000-321（注文）
http://www.nhk-book.co.jp（ホームページ）
振替 00110-1-49701

ブックデザイン albireo
印刷 新藤慶昌堂・近代美術
製本 藤田製本

Printed in Japan ISBN978-4-14-088624-3 C0210

NHK出版新書好評既刊

NHK出版新書好評既刊

がんから始まる生き方
養老孟司 柏木博 中川恵一
がん患者・治療者・助言者の3氏が、がんになって得た視点や死生観を縦横無尽に語りつくす！ 類書のない、大人のための「がん体験指南書」！
591

ふしぎな鉄道路線
「戦争」と「地形」で解きほぐす
竹内正浩
東京〜京都の鉄道は東海道経由じゃなかった？ 山陽本線の難所「瀬野八」誕生の理由は？ 九州の幻の巨大駅とは？ 史料と地図で徹底的に深掘り！
592

明るい不登校
創造性は「学校」外でひらく
奥地圭子
不登校に悩む親子の駆け込み寺・東京シューレの創始者が、変化する現状を的確に描き、不登校経験者の豊かな将来像を経験に基づき説得的に示す。
593

救急車が来なくなる日
医療崩壊と再生への道
笹井恵里子
119番ではもう助からない!? 都心の大病院から離島唯一の病院までを駆け巡ったジャーナリストが、救急医療のリアルと一筋の希望をレポートする。
594

幸福な監視国家・中国
梶谷懐 高口康太
習近平政権のテクノロジーによる統治が始まった。なぜ大都市に次々と「お行儀のいい社会」が誕生しているのか!? その深層に徹底的に迫る一冊！
595

8050問題の深層
「限界家族」をどう救うか
川北稔
若者や中高年のひきこもりを長年研究してきた社会学者が、知られざる8050問題の実相を明らかにし、従来の支援の枠を超えた提言を行う。
596

NHK出版新書好評既刊

NHK出版新書好評既刊

マグロの最高峰
中原一歩
豊洲で一日に並ぶ二百本の上位「二、三本」は何が違うのか？ 漁師・仲買人・鮨職人に長年密着取材してきた作家による、究極の「マグロ入門」誕生！
609

年金崩壊後を生き抜く
「超」現役論
野口悠紀雄
決してバラ色ではない「人生１００年時代」。国にも会社にも、もう頼れない！ 老後の暮らしを守る唯一の方法を、日本経済論の第一人者が提言する。
610

高校世界史でわかる
科学史の核心
小山慶太
ニュートンはなぜ後世に名を残せた？ 普仏戦争と量子力学の意外な関係とは。近現代史を大きく動かした科学の営みをたどる、科学史「超」入門！
611

実践 幸福学
科学はいかに「幸せ」を証明するか
友原章典
日本の男女格差はG7最下位、なのに幸福度の男女差は女性が上！ その理由とは？ 行動経済学の俊英が、科学に基づく「幸せ」のあり方を提唱する。
612

死ぬまで、努力
いくつになっても「伸びしろ」はある
丹羽宇一郎
定年後の幸せ、老後の理想、若者との向き合い方。後悔なしに生きるには何を心掛けるべきか。豊富な経験から語り尽くす、人生後半戦の指針書！
613

AI vs. 民主主義
高度化する世論操作の深層
NHK取材班
すでに世界68か国で展開されている「AI世論操作」。それはいかに社会を脅かすのか。告発者らの生々しい証言を手掛かりに探る民主主義の未来。
614

NHK出版新書好評既刊